Das A und O

Deutsche Redewendungen

Katja Ullmann
Carlos Ampié Loría
Ulf Grenzer

Ernst Klett Sprachen
Stuttgart

1. Auflage   1 10 9 8 7 6 | 2019 18 17 16 15

Autoren: Katja Ullmann, Carlos Ampié Loría; Dresden

Redaktion: Jutta Klumpp-Stempfle
Layoutkonzeption: Elmar Feuerbach
Illustrationen: Ulf Grenzer, Berlin
Gestaltung und Satz: Regina Krawatzki, Stuttgart
Umschlaggestaltung: Elmar Feuerbach
Titelfoto: Shutterstock / © James Thew
Druck und Bindung: AZ Druck und Datentechnik GmbH, Kempten/Allgäu
Printed in Germany

ISBN 978-3-12-558202-6

Inhalt

Aller Anfang ist schwer!
Diesen Spruch haben Sie, liebe Lernerinnen und Lerner, bestimmt oft gehört, als Sie gerade anfingen, die deutsche Sprache zu erlernen. Da waren Sie schon mit dem ersten deutschen Sprichwort konfrontiert. Später tauchten in den Texten Ihres Lehrbuchs immer wieder solch merkwürdige Konstruktionen auf, die man aber oft auf die leichte Schulter nahm, weil man sich sagte: „Zunächst muss ich Deutsch lernen."

Sie werden aber im Laufe Ihres Lernprozesses festgestellt haben, dass das gesamte Regelsystem der vermeintlich schweren Sprache Deutsch mit all ihren Unregelmäßigkeiten und schwierigen Fällen bei Weitem nicht so *eine harte Nuss* ist wie diese sprachlichen Erscheinungen, die als Redewendungen bekannt, verbreitet und beliebt sind – und mit denen sogar Muttersprachler nicht selten *aufs Glatteis geraten*.

Ihnen ist sicherlich nicht entgangen, dass in den ersten beiden Abschnitten die Begriffe Sprichwort und Redewendung verwendet werden. Wenn Sie sich nun fragen, ob wir hier nicht *Äpfel und Birnen zusammenzählen*, ist Ihre Frage berechtigt. Denn es sind in der Tat Begriffe mit verschiedener Bedeutung. *Nehmen* wir sie *unter die Lupe*:

Ein Sprichwort ist in der Regel ein kurzer, vollständiger Satz. Er ist leicht einprägsam und teilt uns oft eine Lebensweisheit, eine Aufforderung oder etwas Praktisches mit. Das Beste ist: Die Aussage des Satzes können wir in den meisten Fällen wortwörtlich nehmen: *Übung macht den Meister* und *Aller Anfang ist schwer* sind gute Beispiele dafür.

Eine Redewendung dagegen ist eine fest verbundene Wortgruppe, die eine bestimmte Botschaft indirekt und vor allem bildhaft formuliert. Das heißt, wenn wir Redewendungen wortwörtlich nehmen, *verstehen wir* möglicherweise *nur Bahnhof*. Die Bedeutungen der einzelnen Wörter stimmen mit der Bedeutung der gesamten bildhaften Formulierung nicht überein. Deshalb *steht* man oft vor einer unbekannten Redewendung *da wie die Kuh vorm neuen Tor*. Es sei denn, man hat das richtige Lehrmittel bei der Hand, das einem hilft, das Thema Redewendungen schnell, lehrreich und auf eine motivierende Art und Weise *in den Griff zu bekommen*.

Genau das ist das Ziel unseres Lehrbuchs **Das A und O**. Es ist vor allem für jugendliche und erwachsene Deutschlernende ab Niveau A2 gemäß dem „Gemeinsamen Europäischen Referenzrahmen" konzipiert. Doch auch Lernende mit höherem Sprachniveau und sogar Muttersprachler können davon profitieren. Sei es um bereits vorhandene Kenntnisse aufzufrischen, sei es um sich an der Lebendigkeit und vielfältigen Expressivität der deutschen Redewendungen zu erfreuen.

In unserem Lehrbuch sind 500 typische Redewendungen der deutschen Alltagssprache thematisch neun Kapiteln zugeordnet. Die Kapitel 1 bis 8 beziehen sich auf verschiedene landeskundlich relevante Themen. Unsere Zuordnung ist jedoch keinesfalls als die einzig mögliche zu verstehen, denn viele Redewendungen lassen sich in einer konkreten Situation auch in andere Themen einbeziehen.

Das neunte Kapitel „Tierisches" *tanzt* ein wenig *aus der Reihe*. Dies ist Absicht der Autoren und möchte zum Ausdruck bringen, wie sich die große Zuneigung der Deutschen zu Tieren zumindest quantitativ in Redewendungen sprachlich widerspiegelt.

Gemeinsam ist allen neun Kapiteln der Aufbau. Jedem Thema widmet sich eine bestimmte Anzahl von genau aufeinander abgestimmten Doppelseiten. Auf den linken Seiten finden Sie die Redewendungen, jeweils geordnet nach der alphabetischen Reihenfolge der Schlagwörter. Gegebenenfalls haben wir den umgangssprachlichen (*ugs.*), saloppen (*sal.*) oder gehobenen (*geh.*) Gebrauch gekennzeichnet. Jede Redewendung wird einfach verständlich erklärt und durch ein passendes, realitätsnahes Kontextbeispiel veranschaulicht.

Auf den rechten Seiten finden Sie Übungen, die sich ausschließlich auf die Redewendungen der jeweiligen linken Seite beziehen. Der Schwierigkeitsgrad der Aufgaben steigert sich von oben nach unten. Daher wird bei der letzten Aufgabe auf jeder Seite auch kein Beispiel vorgegeben. Wie viele der Übungen man lösen kann, ist vom bisher erreichten persönlichen Sprachniveau abhängig. Deswegen sollte hier niemand verzweifeln oder gar denken, er habe *ein Brett vor dem Kopf*, wenn er eine bestimmte Aufgabe noch nicht lösen kann.

Zeichnungen voller Originalität verleihen der Bildhaftigkeit mancher Redewendungen Nachdruck und verbinden zwei wichtige kulturelle Aspekte: Sprache und Kunst.

Das A und O ist lehrwerkunabhängig und eignet sich damit sowohl für den Einsatz im Unterricht als auch zum Selbststudium. Die Lösungen im Anhang helfen bei der Selbstkontrolle, sodass niemand *im Dunkeln tappt* und sicher jedem *ein Licht aufgeht*. Ein alphabetisches Verzeichnis am Ende unseres Lehrwerks sorgt außerdem dafür, dass Sie rasch und mühelos eine bestimmte Redewendung nachschlagen können.

Übung macht den Meister besagt das sehr bekannte Sprichwort und alle, die dieser alten Weisheit fleißig folgen möchten, finden im Anschluss an die neun Kapitel zusätzliche Aufgaben. Damit kann man sein im gesamten Buch bereits erworbenes Wissen noch einmal testen und festigen.

Also *bleiben Sie am Ball* und *lassen Sie den Kopf nicht hängen*. Es ist noch kein Meister vom Himmel gefallen und mit ein wenig Geduld und viel Fleiß *fällt* auch *bei Ihnen der Groschen*.

In diesem Sinne wünschen wir Ihnen viel Spaß, Freude und Erfolg beim Knacken *der harten Nuss* der Deutschen Redewendungen, **des A und O** jedes Deutschlernenden.

Autoren und Redaktion

das **A und O** sein *(ugs.)*	*das Wichtigste*	Die Mutter sagt zu ihrem Sohn: „Lerne das Einmaleins richtig, das ist das A und O der Mathematik!"
durch **Abwesenheit** glänzen *(sal.)*	*nicht anwesend sein; fehlen*	Unter Studentinnen: „Hast du Christian heute schon gesehen?" – „Nein, er glänzt schon seit ein paar Tagen durch Abwesenheit."
mit **Ach** und Krach *(ugs.)*	*etwas nur mit großer Mühe schaffen; sehr knapp*	„In diesem Semester muss ich mich von Anfang an mehr anstrengen, die letzten Prüfungen habe ich nur mit Ach und Krach geschafft."
außer **Acht** lassen	*nicht beachten oder nicht berücksichtigen*	Gespräch im Unterricht: „Beim Thema Integration unserer ausländischen Schüler dürfen wir nicht außer Acht lassen, dass alle Mitschüler und Lehrer ihren Beitrag dazu leisten sollten."
etwas zu den **Akten** legen	*etwas als erledigt betrachten; nicht mehr darüber sprechen*	Chef zur Sekretärin: „Haben Sie die neue Ware schon bestellt?" – „Ja, dieses Thema können wir zu den Akten legen."
etwas in **Angriff** nehmen	*mit etwas anfangen; etwas entschlossen beginnen*	„Du bist doch bald fertig mit deiner Lehre, hast du dich bereits irgendwo beworben?" – „Nein, aber gleich nach den Prüfungen nehme ich das in Angriff."
die **Ärmel** hochkrempeln *(ugs.)*	*bei einer Tätigkeit tüchtig zupacken*	Zwei Automechaniker in der Mittagspause: „Haben wir heute noch viel zu tun?" – „Der Chef hat gesagt, bis zum Abend sollen wir diese beiden Autos reparieren." – „Na, dann los, da müssen wir jetzt aber die Ärmel hochkrempeln."

jemanden oder etwas im **Auge** behalten	*jemanden oder etwas beobachten*	„Die neue Mitarbeiterin im Verkauf müssen wir im Auge behalten. Sie ist zu den Kunden nicht sehr freundlich."
etwas ins **Auge** fassen *(ugs.)*	*sich etwas überlegen; sich etwas vornehmen bzw. als Ziel setzen; etwas planen*	Personalleiterin: „Was meinen Sie, sollten wir die freie Stelle mit unserer Praktikantin besetzen?" Ausbilder: „Diese Möglichkeit habe ich auch schon ins Auge gefasst. Sie ist fleißig und geschickt."

1   Was passt zusammen? Ordnen Sie zu.

1 etwas in Angriff
2 das A und O
3 etwas ins Auge
4 die Ärmel
5 außer Acht

A fassen
B lassen
C nehmen
D sein
E hochkrempeln

2   Ergänzen Sie die Sätze.

> Ach ● Acht ● Auge ● Akten ● Angriff ● Auge ● Abwesenheit

1. „Am Montag bin ich fast zu spät zur Arbeit gekommen. Ich habe den Bus nur mit _____Ach_____ und Krach erreicht."

2. „Ist der Kollege Steinmann heute wieder nicht im Büro? Jetzt glänzt er schon seit drei Tagen durch _____."

3. Polizisten unter sich: „Die männliche Person verhält sich sehr verdächtig. Wir sollten sie weiterhin im _____ behalten."

4. „Wenn unser Referat gut werden soll, müssen wir die Vorbereitung endlich in _____ nehmen."

5. „Wir müssen daran denken, dass die ausländischen Besucher einen Dolmetscher brauchen. Das haben wir in der bisherigen Planung völlig außer _____ gelassen."

6. „Die 10. Klasse habe ich ganz gut geschafft, als nächstes fasse ich das Abitur ins _____."

7. „Kollegen, die Diskussionen der letzten Tage haben uns nicht vorwärts gebracht. Ich schlage vor, dass wir das Problem endlich zu den _____ legen."

3   Was passt? Kreuzen Sie an.

1. Du willst doch eine gute Note bekommen? Um dein Ziel zu erreichen, musst du

   ☐ durch Abwesenheit glänzen   ☐ zu den Akten legen   ☐ die Ärmel hochkrempeln.

2. Wenn Sie sehr gut Deutsch sprechen wollen, sollten Sie auch die Redewendungen niemals

   ☐ in Angriff nehmen   ☐ außer Acht lassen   ☐ ins Auge fassen.

3. Die schriftlichen Prüfungen waren in diesem Jahr besonders schwer. Leider sind einige Studenten durchgefallen und viele haben sie nur

   ☐ außer Acht gelassen   ☐ im Auge behalten   ☐ mit Ach und Krach bestanden.

4. Für dieses Studium entscheiden sich immer weniger Studenten. Diese Tendenz müssen wir unbedingt

   ☐ im Auge behalten   ☐ zu den Akten legen   ☐ ins Auge fassen.

am **Ball** bleiben (ugs.)	etwas weiterverfolgen; sich dabei nicht ablenken lassen	Vater: „In einem Monat ist dein Praktikum zu Ende. Übernimmt dich die Firma dann?" Sohn: „Ich habe noch keine konkrete Antwort bekommen." Vater: „Du musst am Ball bleiben, sonst klappt das nicht."

etwas auf die lange **Bank** schieben (ugs.)	etwas immer wieder aufschieben; etwas auf unbestimmte Zeit verlegen	Sandra: „Sag mal, Claudia, hast du schon ein Thema für deine Projektarbeit?" Claudia: „Nein … mir fällt nichts Vernünftiges ein." Sandra: „Schieb es nicht auf die lange Bank, so viel Zeit haben wir nicht mehr."
sich kein **Bein** ausreißen (ugs.)	sich keine Mühe geben; sich nicht besonders anstrengen	Thomas: „Stell dir vor, ich habe eine Zwei in der Zwischenprüfung bekommen! Und du?" Robert: „Leider nur eine Vier." Thomas: „Na ja, du hast dir beim Lernen ja auch kein Bein ausgerissen."
auf **Biegen** und Brechen (ugs.)	etwas unter allen Umständen tun	„Dieses Jahr versucht die Gewerkschaft, auf Biegen und Brechen eine Lohnerhöhung durchzusetzen."
blaumachen (ugs.)	nicht in die Schule oder zur Arbeit gehen, weil man keine Lust hat	„Steh auf, es ist schon halb sieben! Musst du nicht zur Arbeit?" – „Du, ich bin erst um fünf nach Hause gekommen. Ich bin so müde, ich mache heute blau."
Blut und Wasser schwitzen (ugs.)	sehr aufgeregt sein; große Angst haben	„Wie war deine mündliche Prüfung?" – „Ich habe sie bestanden, aber ich habe bei jeder Frage Blut und Wasser geschwitzt. Ich bin froh, dass es vorbei ist."
etwas aus dem **Boden** stampfen (ugs.)	etwas aus dem Nichts aufbauen	„Das Übersetzungsbüro von Leo läuft aber gut! Und das nach so kurzer Zeit." – „Ja, das ist toll! Denn dieses Geschäft hat er ganz alleine aus dem Boden gestampft."
etwas über die **Bühne** bringen (ugs.)	etwas erfolgreich durchführen, erledigen	Chef zum Mitarbeiter: „Gratuliere, Herr Petersen! Sie haben die Verhandlungen sehr gut über die Bühne gebracht. Ohne Sie hätten wir diesen Auftrag sicher nicht bekommen."
etwas unter **Dach** und Fach bringen (ugs.)	etwas zu einem guten Ende führen	„Nur noch drei Tage bis zur Ausstellung! Wie sollen wir das alles schaffen?" – „Keine Sorge, bis morgen Abend ist alles unter Dach und Fach gebracht."

1   Alles hat ein Ende ... die Redewendung auch! Welches Verb passt?

1. etwas auf die lange Bank ___*schieben*___

schieben ● legen ● setzen ● stellen

2. etwas über die Bühne _____

singen ● tanzen ● bringen ● spielen

3. sich kein Bein _____

operieren ● ausreißen ● vertreten ● brechen

4. Blut und Wasser _____

fließen ● trinken ● schwitzen ● gießen

5. am Ball _____

spielen ● werfen ● treten ● bleiben

2   Welches Substantiv passt?

1. etwas aus dem ___*Boden*___ stampfen

Boden ● Kopf ● Bauch ● Dach

2. etwas unter Dach und _____ bringen

Fenster ● Fach ● Wand ● Decke

3. am _____ bleiben

Buch ● Mann ● Ball ● Teppich

4. auf Biegen und _____

Schneiden ● Schlagen ● Brennen ● Brechen

3   Was meint das Gleiche? Verbinden Sie.

1 Bleib am Ball!

2 Bring es unter Dach und Fach!

3 Ich habe es aus dem Boden gestampft.

4 Schieb es nicht auf die lange Bank!

5 Ich habe blaugemacht.

6 Ich habe mir kein Bein ausgerissen.

A Ich habe das Unternehmen alleine aufgebaut.

B Lass dich nicht von deinem Ziel abbringen!

C Beende es erfolgreich!

D Ich habe mich nicht besonders angestrengt.

E Mach es bald!

F Ich bin nicht zur Arbeit gegangen.

4   Wie sagt man es mit einer Redewendung? Ergänzen Sie in der richtigen Form.

1. Wenn man etwas erfolgreich durchführt, dann _____.

2. Wenn man große Angst hat, dann _____.

3. Wenn ich etwas zu einem guten Ende führe, dann _____.

4. Wenn du etwas auf unbestimmte Zeit verlegst, dann _____.

5. Wenn man sich keine Mühe gibt, dann _____.

6. Wenn Studenten ohne Grund die Vorlesung nicht besuchen, dann _____.

jemandem die **Daumen** drücken *(ugs.)*	*jemandem viel Glück und Erfolg wünschen*	„Ich bin total nervös. Morgen habe ich mein erstes Vorstellungsgespräch." – „Das wird schon klappen. Ich drücke dir die Daumen."
mehrere **Eisen** im Feuer haben *(ugs.)*	*mehrere Möglichkeiten haben*	Unter Freunden: „Na, du frisch gebackener Ingenieur! Wie läuft es mit deinen Bewerbungen?" – „Super! Ich habe mehrere Eisen im Feuer und weiß noch nicht, welchen Job ich nehmen soll."
alle **Fäden** in der Hand halten *(ugs.)*	*alles kontrollieren*	In der Personalabteilung: „Respekt, unsere neue Filialleiterin hält schon nach zwei Monaten alle Fäden in der Hand."
jemandem auf die **Finger** sehen *(ugs.)*	*jemanden genau kontrollieren*	Zwei Ausbilder in der Pause: „Was hältst du von dem neuen Lehrling?" – „Schlecht ist er nicht, aber leider nicht der Fleißigste. Man muss ihm immer auf die Finger sehen."
Ohne **Fleiß** kein Preis!	*Nur wer sich bemüht hat Erfolg!*	Laura: „Marie, lernen wir am Wochenende zusammen für die Klassenarbeit in Physik?" Marie: „Lust habe ich keine, aber ich brauche dringend eine gute Note und … ohne Fleiß kein Preis!"
die **Flinte** ins Korn werfen *(ugs.)*	*zu früh aufgeben; sich entmutigen lassen*	Juan: „Vielleicht fahre ich doch wieder nach Spanien zurück. Ich glaube, die Aufnahmeprüfung für das Studienkolleg schaffe ich nie." Ernesto: „Komm, so schnell musst du nicht die Flinte ins Korn werfen. Wir alle helfen dir. Du schaffst es!"
die erste **Geige** spielen *(ugs.)*	*derjenige sein, der die wichtigen Entscheidungen trifft; die wichtigste Person sein*	Versammlung in der Firma: „Liebe Kolleginnen und Kollegen! Wie Sie wissen, ist diese Woche meine letzte als Abteilungsleiterin. Dann gehe ich in Rente. Frau Schumann übernimmt meinen Platz. Ab heute spielt sie hier die erste Geige."
mehr **Glück** als Verstand haben *(ugs.)*	*sehr viel, besonderes Glück haben*	„Hey, Martin, ich habe gehört, du hast eine Eins in Bio! Wie hast du das geschafft?" – „Keine Ahnung, ich war selbst überrascht. Ich glaube, ich hatte mehr Glück als Verstand."

1   **Was ist richtig? Kreuzen Sie an.**

1. ☐ mehr Kopf   ☒ mehr Glück   ☐ mehr Pech   als Verstand haben
2. ☐ ohne Mühe   ☐ ohne Fleiß   ☐ ohne Faulheit   kein Preis
3. ☐ die Pistole   ☐ das Messer   ☐ die Flinte   ins Korn werfen
4. ☐ die erste Karte   ☐ die erste Geige   ☐ den ersten Ball   spielen
5. jemandem ☐ die Füße   ☐ die Daumen   ☐ die Hände   drücken
6. ☐ alle Fäden   ☐ alle Haare   ☐ alle Herzen   in der Hand halten

2   **Welches Verb passt? Ergänzen Sie in der richtigen Form.**

| drücken ● sehen ● halten ● spielen |

1. Was, du hast morgen Prüfung? Ich _____ *drücke* _____ dir die Daumen.
2. Du bist unsere Gruppenleiterin. Du _____ die erste Geige.
3. Sie ist neu in der Klasse, aber sie _____ alle Fäden in der Hand.
4. Unser Handwerker ist nicht gerade fleißig. Man muss ihm oft auf die Finger _____.

3   **Welche Redewendung meint das Gleiche?**

1. Ich wünsche dir viel Erfolg.   A alle Fäden in der Hand halten
2. Katja hat viele Stellenangebote.   B die Flinte ins Korn werfen
3. Gib doch nicht so schnell auf!   C die Daumen drücken
4. Die Chefin glaubt, sie hat die absolute Kontrolle.   D mehrere Eisen im Feuer haben

4   **Formulieren Sie die Sätze aus Aufgabe 3 mit der passenden Redewendung.**

1. _____ *Ich drücke dir ...* _____
2. _____
3. _____
4. _____

5   **Welche Redewendung passt? Ergänzen Sie in der richtigen Form.**

Frau König und Herr König haben eine sehr schöne Tochter. Sie heißt Elena, und viele junge Männer lieben sie. Sie

_____. Aber sie nimmt sich Zeit. Sie gibt keinem ein klares Ja. Zwei

oder drei haben deshalb schon _____. Elena denkt, es ist richtig so.

Sie müssen sich schon bemühen, denn _____! Sie heiratet nur einen

schönen und netten Mann, der macht, was sie will. Denn als Ehefrau will sie alles allein entscheiden, sie möchte gern

immer _____.

den **Gürtel** enger schnallen *(ugs.)*	*weniger Geld ausgeben können; sparen müssen*	Zwei Freundinnen: „Ab nächsten Monat bin ich leider arbeitslos, da müssen meine Kinder und ich den Gürtel enger schnallen." – „Ja, das glaube ich. Aber du findest sicher bald wieder einen neuen Job."
Hals- und Beinbruch! *(ugs.)*	*Viel Glück! Möge es dir gelingen!*	Lena will Sängerin werden. Heute ist ihr großer Tag, sie muss an der Musikhochschule vorsingen. Eltern und Freunde machen ihr Mut: „Hals- und Beinbruch, Lena! Du schaffst es!"
etwas in die **Hand** nehmen *(ugs.)*	*sich um etwas kümmern*	David: „Sag mal, Paul, soll ich meinen Chef fragen, ob er ab dem nächsten Monat eine Aushilfe brauchen kann?" Paul: „Das ist lieb von dir, aber ich glaube, ich nehme es selbst in die Hand. Das macht einen besseren Eindruck."
zwei linke **Hände** haben *(ugs.)*	*sehr ungeschickt sein*	Lisa zu ihrem Freund: „Manuel, wollen wir zusammen eine Feinmechaniker-Lehre machen?" Manuel: „Das wäre schön, aber ich habe zwei linke Hände. Das ist nichts für mich."
die **Hände** in den Schoß legen	*sich ausruhen; untätig sein*	Auszubildende: „Was halten Sie von einer kleinen Kaffeepause?" Kollegin: „Pause? Jetzt? Um drei muss die Inventur fertig sein. Danach können Sie die Hände in den Schoß legen und Kaffee trinken."
mit **Hängen** und Würgen *(sal.)*	*mit sehr großer Mühe*	Carola: „Hast du Lust, am Wochenende mit mir ins Schwimmbad zu gehen?" Rita: „Ich muss leider lernen. Die letzte Prüfung habe ich nur mit Hängen und Würgen bestanden. Diesmal will ich eine Zwei schaffen."
ein alter **Hase** sein *(ugs.)*	*langjährige, große Erfahrung in etwas haben*	„Meine Powerpoint-Präsentation habe ich erst zur Hälfte fertig. Kann mir bitte jemand helfen?" – „Frag doch Udo! Er ist ein alter Hase in Sachen Windows-Programme."
alle **Hebel** in Bewegung setzen *(ugs.)*	*alles nur Mögliche tun, um ein Ziel zu erreichen*	Mutter: „Unsere Tochter will unbedingt Mathematik studieren und ich habe Angst, dass sie eine Absage bekommt." Vater: „Keine Sorge, du kennst sie doch. Sie wird alle Hebel in Bewegung setzen."

1 Welches Substantiv passt? Kreuzen Sie an.

1. ☐ Kopf- ☒ Hals- ☐ Hand-   und Beinbruch

2. etwas in die ☐ Beine ☐ Arme ☐ Hand   nehmen

3. ein alter ☐ Hund ☐ Fuchs ☐ Hase   sein

4. alle ☐ Hebel ☐ Nägel ☐ Schrauben   in Bewegung setzen

2 Welches Verb passt?

1. die Hände in den Schoß ☐ nehmen ☒ legen ☐ setzen

2. den Gürtel enger ☐ schnallen ☐ ziehen ☐ binden

3. alle Hebel in Bewegung ☐ drehen ☐ schalten ☐ setzen

4. zwei linke Hände ☐ drücken ☐ haben ☐ nehmen

3 Sagen Sie es mit einer Redewendung.

1. Alex hat sich eine neue Videokarte gekauft. Leider kann er sie nicht selbst installieren, weil er **sehr ungeschickt ist** /

_____weil er zwei ..._____.

2. „Hast du die Fahrprüfung bestanden?" – „Ja, aber nur **mit sehr großer Mühe** /

_____."

3. Wenn sie nächstes Jahr einen Ausbildungsplatz bekommen will, muss sie **sich jetzt dringend darum kümmern** /

_____.

4. „Ich freue mich auf die Ferien. Da mache ich nichts. Nur eines: **mich ausruhen** /

_____."

4 Was meint das Gleiche? Verbinden Sie.

1 Sven hat als Elektriker viel Erfahrung.   A Sie muss den Gürtel enger schnallen.

2 Eva hat diesen Monat wenig verdient.   B Sie hat alle Hebel in Bewegung gesetzt.

3 Gerd hat seinen Job als Mechaniker   C Er ist ein alter Hase.
   verloren, weil er sehr ungeschickt ist.

4 Um ihren Studienplatz für Medizin zu   D Er hat zwei linke Hände.
   bekommen, hat Ina alles Mögliche getan.

5 Kreuzen Sie die passende Redewendung an.

1. Ich wünsche dir viel Glück beim Wettkampf, mein Freund.

   ☐ Du bist ein alter Hase!   ☐ Hals- und Beinbruch!

2. Wenn du Erfolg haben willst, kümmere dich selbst um das Unternehmen!

   ☐ Nimm es selbst in die Hand!   ☐ Leg die Hände in den Schoß!

3. Studieren willst du? Du hast doch deine Lehre nur mit großer Mühe geschafft!

   Du hast die Lehre doch nur ...

   ☐ mit Hängen und Würgen   ☐ mit Hals- und Beinbruch   ... geschafft!

alle(s) unter einen **Hut** bringen *(ugs.)*	*in Übereinstimmung, in Einklang bringen*	Abteilungsleiter: „Frau Heinemann, besorgen Sie die Getränke für unser Abteilungsfest?" Frau Heinemann: „Tut mir leid, aber ich muss noch die Einladungen schreiben, einen passenden Raum finden und … Ich weiß nicht, wie ich das alles unter einen Hut bringen soll."
schlechte **Karten** haben	*kaum eine Chance auf Erfolg haben*	Jonas: „Mama, wusstest du, dass Thomas sich für ein Medizinstudium beworben hat?" Mutter: „Was? Der ist aber mutig. Mit seiner Drei in Mathematik im Abiturzeugnis hat er doch sehr schlechte Karten."
noch in den **Kinderschuhen** stecken *(ugs.)*	*im Anfangsstadium sein; am Anfang der Entwicklung stehen*	Klaus: „Na, mein Freund, wie sieht denn das neueste Auto-Modell von eurer Firma aus?" Jörg: „Darüber kann man noch nichts sagen, es steckt noch in den Kinderschuhen."
etwas übers **Knie** brechen *(ugs.)*	*überstürzt entscheiden oder handeln, ohne genug nachgedacht zu haben*	Zwei Freundinnen: „Was soll ich denn nach der 10. Klasse machen? Eine Lehre oder soll ich auf das Fachgymnasium gehen?" – „Überlege es dir gut, du hast ja noch ein wenig Zeit. So etwas kann man nicht übers Knie brechen."
sich den **Kopf** zerbrechen *(ugs.)*	*angestrengt und lange über etwas nachdenken*	Eva zu ihrer Schwester: „Zerbrich dir nicht mehr den Kopf darüber, wie du unseren Eltern sagen sollst, dass du dein Studium abbrechen willst. Ich habe es ihnen gestern schon erklärt, und sie sind dir nicht böse."
dastehen wie die **Kuh** vorm neuen Tor *(sal.)*	*angesichts einer neuen Situation völlig ratlos sein*	Mutter: „Na, wie läuft es in deinem neuen Job?" Tochter: „Inzwischen geht es ganz gut, aber als ich das erste Mal mit Excel arbeiten musste, stand ich da wie die Kuh vorm neuen Tor."
mit seinem **Latein** am Ende sein *(ugs.)*	*nicht mehr weiterwissen; die Lösung eines Problems nicht finden können*	„Erzähl mal, wie war deine Aufnahmeprüfung?" – „Eigentlich ganz gut, nur beim Thema E-Learning war ich mit meinem Latein am Ende."
auf dem **Laufenden** sein *(ugs.)*	*bestens über das Neueste informiert sein*	Dozent im Informatikunterricht: „Lesen Sie regelmäßig eine Fachzeitschrift und besuchen Sie die CeBIT. Als Informatiker muss man immer auf dem Laufenden sein."

1 **Was meint das Gleiche? Es gibt immer zwei Möglichkeiten.**

> ● A schlechte Karten haben ● C auf dem Laufenden sein
> ● B noch in den Kinderschuhen stecken ● D etwas übers Knie brechen

1. kaum die Möglichkeit haben, etwas zu erreichen _A_

2. immer das Neueste wissen _____

3. eine sehr geringe Chance auf Erfolg haben _____

4. ganz am Anfang stehen _____

5. vor dem Handeln nicht nachdenken _____

6. erst beginnen, sich zu entwickeln _____

7. sich immer gut informieren _____

8. etwas machen, ohne genug zu überlegen _____

2 **Lösen Sie das Kreuzworträtsel.**

waagerecht:

1. Eine wichtige Entscheidung sollte man nicht übers _____ brechen.

2. Jemand, der immer bestens informiert ist, ist auf dem _____.

3. Wenn du dich nicht vorbereitest, hast du bei deiner Prüfung sehr schlechte _____.

4. Wenn man viele verschiedene Aufgaben geschafft hat, hat man alles unter einen _____ gebracht.

senkrecht:

1. Viele zerbrechen sich erst nach dem Abitur den _____ darüber, was sie studieren wollen.

2. Bei komplizierten Mathematikaufgaben ist man nicht selten mit seinem _____ am Ende.

3. In schwierigen Situationen steht man oft da wie die _____ vorm neuen Tor.

eine lange **Leitung** haben *(ugs.)*	*etwas sehr langsam begreifen*	„Was hältst du davon, wenn ich dir in Mathe helfe und du mir in Deutsch?" – „Hey, das ist eine prima Idee! In Sprachen bin ich gut, aber bei Zahlen habe ich oft eine lange Leitung."
sich auf seinen **Lorbeeren** ausruhen *(ugs.)*	*sich nach einem großen Erfolg nicht mehr anstrengen*	Aus dem Kulturmagazin: „Der junge Schauspieler ruhte sich nicht auf seinen Lorbeeren aus – erst besetzte er nur eine Nebenrolle, voriges Jahr schon eine Hauptrolle und heute ist er ein Superstar."
in der **Luft** hängen *(ugs.)*	*unsicher sein; nicht wissen, wie es weitergehen soll*	„Nach meiner Lehre übernimmt mich die Firma nicht. Jetzt hänge ich total in der Luft." – „Kopf hoch, es kommen auch wieder bessere Zeiten für dich."
viel um die **Ohren** haben *(ugs.)*	*sehr beschäftigt sein; viel zu tun haben*	„Wann können wir uns treffen? Wir müssen unser gemeinsames Referat noch vorbereiten." – „Tut mir leid, diese Woche wird das nichts, ich habe momentan zu viel um die Ohren."
die **Ohren** spitzen *(ugs.)*	*aufmerksam zuhören; gut aufpassen*	Lehrerin zu Grundschülern: „Ich lese euch jetzt eine kurze Geschichte vor. Danach werde ich euch Fragen dazu stellen. Spitzt also gut die Ohren!"
etwas auf der **Pfanne** haben *(sal.)*	*etwas Besonderes leisten können; große Fähigkeiten haben*	„Wie fandest du den Vortrag von Ulrich?" – „Ehrlich gesagt, er hat mich sehr enttäuscht. Ich dachte, er hätte mehr auf der Pfanne." – „Vielleicht hatte er einfach nur einen schlechten Tag."
das **Pferd** beim Schwanz aufzäumen *(ugs.)*	*etwas völlig verkehrt anfangen*	„So, wie du das Problem lösen willst, wird das nie etwas." – „Wieso? Ich gebe mir so viel Mühe!" – „Ja, aber du zäumst das Pferd beim Schwanz auf! Probier es doch mal anders …!"
mit seinen **Pfunden** wuchern *(geh.)*	*von seinen Begabungen, Talenten und Kenntnissen profitieren*	„Mit dem Prüfungsthema hatte ich großes Glück, es ist eines meiner Lieblingsthemen. Und im vergangenen Semester habe ich darüber viel gelernt. So konnte ich mit meinen Pfunden wuchern."
von der **Pike** auf	*von Anfang an; von Grund auf*	„Toll, wie schnell Sie den Fernseher repariert haben!" – „Das ist keine Kunst für mich. Ich habe meinen Beruf von der Pike auf gelernt."
der tote **Punkt**	*ein Stadium, in dem keine Fortschritte mehr gemacht werden*	„Zunächst ging die Arbeit der Forschungsgruppe gut voran, aber seit Monaten gibt es nun schon keine Erfolge mehr. Die Forschungen sind an einem toten Punkt angelangt."

1   Welche Präposition passt? Zwei bleiben übrig.

1. Renate hat als Sekretärin viel ____um____ die Ohren.

2. Es ist gefährlich, sich _____ seinen Lorbeeren auszuruhen.

3. Der Redner zäumt das Pferd _____ Schwanz auf.

4. Wie es in der Firma weitergehen soll, hängt völlig _____ der Luft.

5. Die neue Mitarbeiterin hat nicht viel _____ der Pfanne.

6. Bei diesem Referatsthema konnte er _____ seinen Pfunden wuchern.

7. Roland hat seinen Beruf _____ der Pike auf gelernt.

um ● unter ● mit ● auf
● in ● im ● beim
● auf ● von

2   Welches Substantiv passt?

Pfanne ● Pferd ● Pfunden ● Punkt

1. „Wie findest du seinen Arbeitsstil?" – „Gut, ich glaube, der neue Kollege hat etwas auf der ___Pfanne___."

2. „Wie kommst du mit deiner Diplomarbeit voran?" – „Gar nicht, ich bin an einem toten _____."

3. „Im Vorstellungsgespräch spielten Fremdsprachenkenntnisse eine große Rolle. Da konnte ich mit meinen

_____ wuchern."

4. „So können Sie die Aufgabe nicht lösen. Sie zäumen ja das _____ beim Schwanz auf!"

3   Was meint das Gleiche? Verbinden Sie.

1	Kurt kommt nicht mehr weiter.	A	Er hat viel um die Ohren.
2	Udo ist sehr beschäftigt.	B	Er ist an einem toten Punkt.
3	Peter versteht langsam.	C	Er zäumt das Pferd beim Schwanz auf.
4	Martin hört gut zu.	D	Er darf sich nicht auf seinen Lorbeeren ausruhen.
5	Stefan muss sich mehr anstrengen.	E	Er spitzt die Ohren.
6	Tim macht das völlig verkehrt.	F	Er hat eine lange Leitung.

4   Sagen Sie es mit einer Redewendung.

1. Wer aufmerksam zuhört, der _____.

2. Wer etwas Besonderes leisten kann, der _____.

3. Wer sehr langsam begreift, der _____.

4. Wer sich nach einem Erfolg nicht mehr anstrengt, der _____.

5. Wer viel zu tun hat, der _____.

aus dem **Rahmen** fallen	*ungewöhnlich sein*	„Wie findest du die Idee von unserem Kollegen Schmidt?" – „Sehr interessant! Sie fällt aus dem Rahmen und verspricht dadurch großen Erfolg."
die **Rechnung** ohne den Wirt machen *(ugs.)*	*die entscheidende Person nicht berücksichtigen und deshalb keinen Erfolg erzielen*	„Der Verbesserungsvorschlag von Felix war wirklich gut. Warum wurde er eigentlich nie realisiert?" – „Leider hatte er die Rechnung ohne den Wirt gemacht. Er hat unseren Chef nicht rechtzeitig informiert, und der hat den Vorschlag deshalb abgelehnt."
im **Sande** verlaufen *(ugs.)*	*ohne Ergebnis, erfolglos bleiben; in Vergessenheit geraten*	„Max, hat es eigentlich mit einem Vertrag mit der Firma Huber geklappt?" – „Nein, leider nicht. Die Verhandlungen sind im Sande verlaufen."
fest im **Sattel** sitzen *(ugs.)*	*eine sichere, ungefährdete Position haben*	„Meinst du, der Konflikt mit den Kollegen schadet seiner Karriere?" – „Das glaube ich nicht, er sitzt doch seit Jahren fest im Sattel."
über seinen **Schatten** springen *(ugs.)*	*sich erfolgreicher als bisher bemühen; Dinge tun, die eine große Überwindung kosten*	Vater: „David, du musst dich in Geographie mehr anstrengen! Schon wieder nur eine Vier in der Klassenarbeit. Wann willst du endlich über deinen Schatten springen?"
die **Schulbank** drücken *(ugs.)*	*in die Schule gehen; eine Ausbildung, eine Lehre machen*	„Ich bewundere meine Freundin. Nach einem Unfall im letzten Jahr ist sie berufsunfähig. Und jetzt drückt sie mit 50 nochmal die Schulbank und lernt einen neuen Beruf."
Schwein haben *(sal.)*	*großes Glück haben*	Studenten nach der mündlichen Prüfung: „Hast du bestanden?" – „Ja, ich hatte Schwein! Es kam genau das Thema dran, zu dem ich vor zwei Wochen mein Referat gehalten habe."
ein zweischneidiges **Schwert** sein	*etwas hat Vor- und Nachteile*	„Für die Werbung beauftragen wir künftig eine externe Firma." – „Hm ... das ist ein zweischneidiges Schwert."
etwas aufs **Spiel** setzen *(ugs.)*	*viel riskieren*	„Peter hat gestern wieder mit seinem Vorgesetzten gestritten." – „Ich glaube, er setzt dadurch seinen Arbeitsplatz aufs Spiel."
bei jemandem einen **Stein** im Brett haben *(ugs.)*	*bei jemandem besonders beliebt sein*	Unter Kollegen: „Für unsere tolle Leistung könnte der Chef uns doch eine Prämie geben, oder?" – „Ja, und am besten soll Pia das vorschlagen, sie hat bei ihm einen Stein im Brett."
in den **Sternen** stehen	*noch völlig ungewiss sein*	„Christine, wo willst du nach deinem Studium arbeiten?" – „Ach, Tante Rosi, das steht noch in den Sternen. Ich bin doch erst im zweiten Semester."

1 Was passt zusammen? Ordnen Sie zu.

1	etwas aufs Spiel		A	haben
2	die Schulbank		B	sein
3	aus dem Rahmen		C	setzen
4	Schwein		D	fallen
5	ein zweischneidiges Schwert		E	drücken

2 Ergänzen Sie das passende Substantiv.

Schatten • Sattel • Rechnung • Stein • Rahmen • Sande

1. über seinen _____Schatten_____ springen

2. bei jemandem einen _____ im Brett haben

3. die _____ ohne den Wirt machen

4. aus dem _____ fallen

5. fest im _____ sitzen

6. im _____ verlaufen

3 Was meint das Gleiche? Es gibt immer zwei Möglichkeiten.

● A die Schulbank drücken ● C über seinen Schatten springen
● B ein zweischneidiges Schwert sein ● D im Sande verlaufen

1. keinen Erfolg haben _D_

2. Vor- und Nachteile haben _____

3. etwas tun, das Überwindung kostet _____

4. in die Schule gehen _____

5. eine Ausbildung machen _____

6. sich mit mehr Erfolg als bisher bemühen _____

7. gute und schlechte Seiten haben _____

8. in Vergessenheit geraten _____

4 Kreuzen Sie die passende Präposition an.

a) „Ich weiß nicht, ob ich nach dem Studium einen Arbeitsplatz bekomme. Das steht noch

| 10 | in | 25 | über | 32 | unter | den Sternen."

b) „Sie kommen schon wieder zu spät! Meinen Sie nicht, dass Sie dadurch Ihren Job

| 250 | unters | 77 | aufs | 60 | ins | Spiel setzen?"

c) Manfred sah sich schon als Promotionsstudent, aber er hatte nie mit dem verantwortlichen Professor

über seine Pläne gesprochen. Deshalb wurde sein Thema abgelehnt: Manfred hatte die Rechnung

| 70 | gegen | 50 | für | 68 | ohne | den Wirt gemacht.

d) Die neue Assistentin ist sehr nett und fleißig. Dadurch hat sie

| 40 | mit | 25 | zu | 11 | bei | den meisten Kollegen einen Stein im Brett.

Hier können Sie die Rechnung ... machen: a) ☐ + b) ☐ − c) ☐ + d) ☐ = 30

auf dem **Teppich** bleiben (ugs.)	*den Bezug zur Realität nicht verlieren*	„Liebe Kollegen, wir sollten auf dem Teppich bleiben. Euer Vorschlag klingt zwar sehr gut, aber die neuen Maschinen sind viel zu teuer."
Übung macht den Meister.	*Nur wer viel übt, kann etwas richtig und gut erlernen.*	Sohn: „Mama, ich mag nicht mehr Klavier spielen, ich lerne das sowieso nie!" Mutter: „Warum gibst du so schnell auf? Sei geduldig! Übung macht den Meister."
ins kalte **Wasser** springen (ugs.)	*sich in einer neuen Situation oder bei einer neuen Aufgabe bewähren müssen; auch: unvorbereitet sein*	Nach dem Abitur ist sie ins kalte Wasser gesprungen: Sie ging zum Studium an eine Universität, über 500 Kilometer von ihrer Heimatstadt entfernt. Dort kannte sie keinen Menschen.
etwas in die **Wege** leiten	*etwas vorbereiten; etwas in Gang setzen*	„Frau Richter, wir wollen im März die Kollegen aus Berlin zu einer zweitägigen Schulung einladen. Leiten Sie dazu bitte alles Notwendige in die Wege."
die **Weichen** für etwas stellen (geh.)	*die beabsichtigte Entwicklung von etwas festlegen*	Vater: „Überlege dir gut, was du studieren willst! Mit dieser Entscheidung stellst du die Weichen für deine Zukunft."
viel **Wind** um etwas machen (ugs.)	*einer Sache übertrieben große Bedeutung geben oder zu große Beachtung schenken*	„Ich verstehe nicht, warum alle so viel Wind um die Zwischenprüfung machen, so wichtig ist sie doch nicht."
sich an etwas die **Zähne** ausbeißen (ugs.)	*trotz großer Bemühungen ein Problem oder eine Aufgabe nicht lösen können*	Mathematiklehrer: „Na, konntet ihr die Hausaufgaben dieses Mal lösen oder habt ihr euch daran wieder die Zähne ausgebissen?"
Kommt **Zeit**, kommt Rat.	*Wenn man Geduld hat, findet man meistens eine Lösung.*	Gespräch unter Müttern: „Meine Tochter weiß immer noch nicht, was sie später mal studieren möchte." – „Machen Sie sich darüber keine Sorgen, unsere Kinder sind doch erst in der 8. Klasse. Kommt Zeit, kommt Rat."
die **Zelte** abbrechen (ugs.)	*umziehen, woanders hingehen; die Arbeitsstelle wechseln*	„Den Kollegen Schneider habe ich lange nicht mehr gesehen." – „Ja, der hat hier alle Zelte abgebrochen und ist mit seiner Familie vor drei Monaten nach Hamburg gezogen."
das **Zeug** zu etwas haben (ugs.)	*die nötigen Fähigkeiten für etwas haben*	Chefin zu einem Mitarbeiter: „Ich schlage Sie als Gruppenleiter vor. Sie haben das Zeug dazu!"
sich ins **Zeug** legen (ugs.)	*sich sehr anstrengen*	„Ich drücke Ihnen die Daumen für die Prüfung. Aber ich denke, die wird nicht schwer für Sie sein. Sie haben sich bei der Vorbereitung mächtig ins Zeug gelegt."

1 Welches Verb passt? Ergänzen Sie.

abbrechen ● legen ● springen ● leiten ● stellen

1. die Zelte _____ *abbrechen* _____

2. etwas in die Wege _____

3. ins kalte Wasser _____

4. sich ins Zeug _____

5. die Weichen _____

2 Welches Substantiv passt? Kreuzen Sie an.

1. Kommt Zeit, kommt ☐ Freude ☐ Geld ☒ Rat.

2. Übung macht den ☐ Meister ☐ Schneider ☐ Bäcker.

3. das ☐ Zelt ☐ Zeug ☐ Ziel zu etwas haben

4. etwas in die ☐ Wege ☐ Straßen ☐ Gassen leiten

3 Welche Wörter sind versteckt? Notieren Sie.

1. „Ich kann diese Aufgabe nicht lösen.

   Das ganze Wochenende habe ich mir daran die

   _____ *Zähne* _____ ausgebissen."

2. „Du musst mindestens zweimal pro Woche Gitarre

   spielen. Du weißt doch: Nur _____

   macht den Meister."

3. Er bricht seine _____ hier ab und arbeitet künftig im Ausland.

4. „Kollegen, wir sollten uns genau überlegen, wie wir unseren Antrag formulieren. Damit stellen

   wir die _____ für unsere Arbeit in den nächsten Jahren."

5. Nach dem Studium wurde ihr sofort die Leitung einer kleinen Abteilung in unserer Firma übertragen.

   Das war wie ein Sprung ins kalte _____ .

U	R	Z	Ä	H	N	E	I	K	L	M	O
A	W	E	I	C	H	E	N	J	N	Z	C
B	A	L	Ü	B	U	N	G	X	D	P	E
R	S	T	V	F	O	G	R	N	Y	X	Y
P	S	E	Z	B	W	Q	I	U	L	Ö	C
N	E	P	V	C	Q	M	K	X	V	N	A
Ü	R	N	C	E	I	P	Ü	K	L	Y	Z

4 Wie sagt man es mit einer Redewendung? Ergänzen Sie in der richtigen Form.

1. Wer einer Sache zu große Bedeutung beimisst, der _____ .

2. Wer sich sehr anstrengt, der _____ .

3. Wer seinen Aufenthaltsort endgültig ändert, der _____ .

4. Wer den Realitätsbezug nicht verliert, der _____ .

auf **Achse** sein *(ugs.)*	*unterwegs sein; auf Reisen sein*	„Sag mal, Lena, wo ist denn dein Sohn? Man sieht ihn fast nie am Wochenende." – „Er spielt doch seit einem Jahr Tischtennis und mit seiner Mannschaft ist Hannes ständig auf Achse."
alt aussehen *(ugs.)*	*einen schlechten Eindruck machen; ziemlich große Probleme haben*	Der Trainer: „So Jungs, ihr wisst, mit welchem Gegner wir es beim nächsten Spiel zu tun haben. Diese Woche müssen wir sehr hart trainieren, sonst sehen wir am Samstag ganz schön alt aus."
mit einem blauen **Auge** davonkommen *(ugs.)*	*etwas ohne größeren Schaden überstehen*	„Hallo, Elisabeth! Wie geht es deinem Freund? Ich habe gehört, er hatte einen Unfall beim Motocross, stimmt das?" – „Ja, aber zum Glück war es nicht so schlimm. Diesmal ist er mit einem blauen Auge davongekommen. Er hatte nur ein paar kleine Kratzer."
das **Bett** hüten *(ugs.)*	*krank im Bett liegen*	„Na, Thomas, gehst du mit uns wandern? Das Wetter ist heute fantastisch!" – „Nichts würde ich lieber tun, aber ich bin krankgeschrieben. Der Arzt hat mir ausdrücklich gesagt, ich sollte ein paar Tage das Bett hüten."
Das **Blatt** hat sich gewendet. *(ugs.)*	*Die Situation hat sich entscheidend geändert.*	Reporter in den Sportnachrichten: „Die Baseball-Mannschaft Kolumbiens hat sich schließlich doch gegen die Nationalmannschaft Puerto Ricos durchgesetzt. Zehn Minuten vor Spielende lag sie noch im Rückstand, aber dann hat sich das Blatt gewendet und die Kolumbianer gewannen 4:3."
mit etwas keinen **Blumentopf** gewinnen können *(ugs.)*	*mit etwas keinen Erfolg haben*	„Marie, hast du schon von dem Klavierwettbewerb gehört? Willst du nicht daran teilnehmen?" – „Nett von dir, Julia, aber ich spiele doch nur in der Freizeit. Ich glaube, mit meinem Können kann ich da keinen Blumentopf gewinnen."
auf den letzten **Drücker** *(ugs.)*	*im letzten Moment*	Frau Schneider: „Wollen wir unsere Tochter an ihrem Geburtstag ins Theater einladen?" Herr Schneider: „Das ist eine sehr gute Idee, aber wir müssen uns bald um Karten kümmern. Wenn wir es auf den letzten Drücker machen, bekommen wir bestimmt keine guten Plätze mehr."
wie aus dem **Ei** gepellt aussehen *(ugs.)*	*besonders elegant gekleidet sein*	„Sag mal Micha, wohin geht deine Frau? Ich habe sie kaum erkannt, als sie vorhin in ihr Auto eingestiegen ist. Wie aus dem Ei gepellt!" – „Sie geht mit zwei Freundinnen zu einer Premiere in die Semperoper."
zwei **Fliegen** mit einer Klappe schlagen *(ugs.)*	*mit einer einzigen Handlung zwei Ziele erreichen; zwei Dinge zugleich erledigen*	„Mensch, Ingo, auf deine alten Tage wirst du richtig sportlich! Du spielst jetzt Handball?" – „Ja, ich muss unbedingt abnehmen. Außerdem macht es mir Spaß. So schlage ich zwei Fliegen mit einer Klappe."

1   Was ist richtig? Kreuzen Sie an.

1. mit einem ☐ schwarzen ☐ roten ☐ blauen Auge davonkommen

2. das Bett ☐ hüten ☐ machen ☐ tragen

3. zwei Fliegen mit einer Klappe ☐ töten ☐ fangen ☐ schlagen

4. mit etwas keinen ☐ Preis ☐ Blumenstrauß ☐ Blumentopf gewinnen können

5. wie aus dem Ei ☐ gekocht ☐ gepellt ☐ gegessen aussehen

2   Was meint das Gleiche? Verbinden Sie.

1 Martin macht immer alles in letzter Minute.

2 Eva reist viel mit ihrer Tanzgruppe.

3 Helene war sehr elegant angezogen.

4 Die Situation hat sich geändert.

5 Der Spieler machte von Anfang an
einen schlechten Eindruck.

6 Nach dem Unfall beim Klettern hatte er nur eine
kleine Prellung.

A Sie ist oft auf Achse.

B Er ist mit einem blauen Auge davongekommen.

C Er sah von Anfang an sehr alt aus.

D Sie sah aus wie aus dem Ei gepellt.

E Er macht immer alles auf den letzten Drücker.

F Das Blatt hat sich gewendet.

3   Welche Präposition passt? Drei bleiben übrig.

mit ● auf ● nach ● aus ● an ● auf ● von

1. Bei dem Unfall ist sie __mit__ einem blauen Auge davongekommen.

2. Wegen ihrer Wettkämpfe ist sie am Wochenende ständig _____ Achse.

3. Die Flugtickets haben wir _____ den letzten Drücker besorgt.

4. Sie sieht immer sehr gut aus, wie _____ dem Ei gepellt.

4   Wie sagt man es mit einer Redewendung? Ergänzen Sie in der richtigen Form.

1. Wer mit einer Tat zwei Ziele erreicht, der _____.

2. Wer sich gesund schläft, der _____.

3. Wer mit etwas keinen Erfolg haben kann, der _____.

4. Wer bei etwas nur einen kleinen Schaden nimmt, der _____.

5. Wer etwas in letzter Minute macht, der _____.

6. Wer ständig unterwegs ist, der _____.

sich wie **gerädert** fühlen (ugs.)	*völlig erschöpft und kraftlos, sehr müde sein*	Samstagmorgen beim Frühstück: „Papa, gehen wir heute Nachmittag in den Zoo?" – „Wir gehen morgen. Ich hatte diese Woche sehr viel Arbeit, ich fühle mich wie gerädert."
zu tief ins **Glas** gucken / schauen (ugs.)	*sich betrinken; zu viel Alkohol trinken*	„Du siehst aber müde und kaputt aus! Was habt ihr am Wochenende gemacht?" – „Wir waren gestern bei Pepe. Er hatte Geburtstag und ich glaube, ich habe viel zu tief ins Glas geguckt."
Hahn im Korb sein (ugs.)	*der einzige Mann unter vielen Frauen sein (allgemein: im Mittelpunkt sein)*	„Hey Pedro, warum warst du nicht beim Grillabend bei Isabel? Alle ihre Freundinnen waren da, und ich war der einzige Mann." – „Ach, du Armer! Komm, gib es zu, du hast dich gefreut, wieder mal Hahn im Korb gewesen zu sein."
etwas hängt jemandem zum **Hals(e)** raus (sal.)	*von etwas genug haben und es deshalb nicht mehr mögen*	Jörg: „Oh, wie schön! Eine ganze Woche Ferien! Wollen wir nach Berlin fahren?" Alex: „Ja gern, aber bitte nicht wieder nur Museen besichtigen! Das hängt mir schon zum Hals raus."
das **Handtuch** werfen (ugs.)	*ein Ziel aufgeben*	Ulrike: „Mit dem Gitarrespielen komme ich überhaupt nicht weiter. Ich höre auf, ich kann das nicht." Ihre Mutter: „Das wäre aber schade, so schnell sollte man das Handtuch nicht werfen. Du wirst sehen, bald klappt es besser."
seine **Haut** so teuer wie möglich verkaufen (ugs.)	*sich mit allen Kräften wehren*	„Gegen dieses Volleyball-Superteam können wir am Samstag nur durch ein Wunder gewinnen. Aber wir werden unsere Haut so teuer wie möglich verkaufen. So leicht werden sie es mit uns nicht haben!"
alle **Jubeljahre** (einmal) (ugs.)	*sehr selten*	Frau Vogt hat zum Geburtstag Karten für ein Konzert ihres Lieblingssängers bekommen und freut sich riesig: „Danke", sagt sie zu ihrer Freundin, „das ist eine tolle Überraschung! Früher war ich in jedem seiner Konzerte. Aber seit wir kleine Kinder haben, gehe ich nur alle Jubeljahre einmal aus."
unter aller **Kanone** sein (ugs.)	*sehr schlecht*	Zwei Freunde nach einem Kinobesuch: „Wie fandest du den Film? Ich bin echt enttäuscht." – „Ja, da muss ich dir recht geben. Das war wirklich unter aller Kanone."
kein **Kind** von Traurigkeit sein (ugs.)	*ein lebenslustiger Mensch sein*	„Eure Tochter fährt nicht mit euch in den Urlaub? Bleibt sie allein zu Hause?" – „Ja, sie ist doch alt genug und auch kein Kind von Traurigkeit. Sie wird sicher mit ihren Freundinnen etwas Schönes unternehmen."
auf der **Kippe** stehen	*noch unsicher; noch nicht entschieden sein*	Mutter zu ihren Kindern: „Ob wir gleich zu Beginn der Schulferien wegfahren können, steht noch auf der Kippe. Ich weiß noch nicht, ob ich da Urlaub nehmen kann."

1 Ergänzen Sie das passende Substantiv.

1. Ein Mann unter vielen Frauen ist der Hahn im ___Korb___.

Topf ● ~~Korb~~ ● Stall

2. Wer zu tief ins _____ guckt, hat am nächsten Tag Kopfschmerzen.

Buch ● Kino ● Glas

3. Ein lustiger Mensch ist kein _____ von Traurigkeit.

Junge ● Mädchen ● Kind

4. Wer sich mir aller Kraft wehrt, verkauft seine _____ so teuer wie möglich.

Wohnung ● Haut ● Hände

5. Das Klavierspielen fand er doch zu schwer. Nach drei Wochen hat er das _____ geworfen.

Notenheft ● Handtuch ● Klavier

2 Welches Verb passt? Ergänzen Sie in der richtigen Form.

~~fühlen~~ ● sein ● stehen ● hängen ● sein

1. Nach dem langen Tennisspiel ___fühlt___ sie sich am Abend wie gerädert.
2. Weil sie jedes Wochenende wanderten, _____ ihm das Wandern zum Halse raus.
3. Das Theaterstück fand sie gar nicht gut. Das _____ unter aller Kanone.
4. Er hatte wenig trainiert. Deshalb _____ seine Qualifikation auf der Kippe.
5. Sie geht gern auf Partys. Sie _____ kein Kind von Traurigkeit.

3 Welche Redewendung passt? Ergänzen Sie in der richtigen Form.

auf der Kippe stehen ● alle Jubeljahre ● kein Kind von Traurigkeit sein ● das Handtuch werfen ● zu tief ins Glas gucken ● sich wie gerädert fühlen ● Hahn im Korb sein

Herr Studiosus lachte gern, machte Witze, ging oft auf Partys. Er _____.

Am besten gefielen ihm Feste mit vielen Mädchen, denn er war gern _____.

Er aß viel, und den Durst löschte er mit Wein und Bier. Und manchmal hat er auch _____.

Am nächsten Tag ging es ihm dann sehr schlecht, alles tat ihm weh. Er _____.

Bei so vielen Feiern vergaß er oft das Studieren. Zur Uni ging er nur _____.

Er wurde immer schlechter. Sein Studium _____.

Da sagte er sich: „Jetzt werde ich fleißig lernen und nicht mehr feiern!"

Denn so schnell wollte er nicht _____.

mit **Leib** und Seele (ugs.)	*mit großer Begeisterung; mit viel Energie*	„Gefällt deiner Tochter das Balletttraining?" – „Ja, sie freut sich immer riesig auf die Übungsstunden und ist mit Leib und Seele dabei. Am liebsten würde sie jeden Tag tanzen."
nach **Lust** und Laune	*ganz nach Belieben; so, wie es jemandem gefällt*	„Wie war es heute im Schwimmkurs?" – „Toll! Zuerst mussten wir 400 Meter Rücken auf Zeit schwimmen, aber danach durften wir nach Lust und Laune im Wasser spielen."
Es ist noch kein **Meister** vom Himmel gefallen.	*Man muss erst lernen und üben, bevor man etwas gut kann.*	„Nie wieder fahre ich Schlittschuh! Mir tut alles weh, ich bin ständig hingefallen." – „Du musst einfach öfter mal damit laufen. Dann wird es besser. Wie sagt man so schön: Es ist noch kein Meister vom Himmel gefallen."
sich die **Nacht** / Nächte um die Ohren schlagen (ugs.)	*aus irgendeinem Grund die ganze Nacht nicht schlafen*	„Mama, darf ich am Samstag wieder in die Disko gehen?" – „Ich weiß nicht, ob es so gut ist, wenn du dir schon wieder eine Nacht um die Ohren schlägst. Du weißt ja, am Montag schreibt ihr eine Mathearbeit."
etwas an den **Nagel** hängen (ugs.)	*etwas nicht mehr machen; mit etwas endgültig aufhören*	„Gehst du noch manchmal angeln?" – „Nein, ich war schon ewig nicht mehr am See. Dieses Hobby habe ich an den Nagel gehängt, seit ich beruflich so viel auf Reisen bin."
sich aufs **Ohr** hauen (ugs.)	*schlafen gehen; sich hinlegen*	„Wo ist Andreas?" – „Der hat sich ein Stündchen aufs Ohr gehauen. Er hat doch letzte Nacht im Fernsehen den Boxkampf bis drei Uhr angeschaut."
auf die **Pauke** hauen (ugs.)	*sehr laut und fröhlich feiern*	„Also Freunde, wir sollten mal wieder so richtig auf die Pauke hauen!" – „Ja, das haben wir wirklich schon lange nicht mehr gemacht. Aber Udo wird nächsten Monat dreißig, das ist doch ein Anlass!"
das **Rennen** machen (ugs.)	*gewinnen, siegen*	Reporterin: „Die Wettkämpfe waren bis zum Ende spannend. Viele Mannschaften spielten sehr gut, und so konnte niemand voraussehen, welche das Rennen machen wird."
keine (große) **Rolle** spielen	*nicht (besonders) wichtig sein*	„Schatz, wir müssen uns bald entscheiden, wohin wir im Urlaub reisen wollen." – „Wohin, das spielt für mich überhaupt keine Rolle, Hauptsache raus aus der Kälte hier!"
sich in **Schale** werfen (ugs.)	*sich besonders schick, elegant anziehen*	„Was ist denn mit dir los? Warum hast du dich so in Schale geworfen?" – „Ich bin heute Abend zu einer Party eingeladen. Meine Freundin hat ihre erste eigene Wohnung."

1   Was passt? Kreuzen Sie an.

1. sich die ☐ Stunden ☐ Nacht ☐ Tage   um die Ohren schlagen

2. nach ☐ Lust ☐ Liebe ☐ Leib   und Laune

3. etwas an den ☐ Haken ☐ Rahmen ☐ Nagel   hängen

4. sich in ☐ Schale ☐ Schule ☐ Schuhe   werfen

5. keine große ☐ Reihe ☐ Pauke ☐ Rolle   spielen

2   Was meint das Gleiche? Verbinden Sie.

1 Er hat die ganze Nacht nicht geschlafen.

2 Er hat sich hingelegt.

3 Er hat gewonnen.

4 Er hat mit Begeisterung musiziert.

5 Er hat eine laute Party gefeiert.

6 Er hat nach Belieben die Programme gewechselt.

A Er hat auf die Pauke gehauen.

B Er hat mit Leib und Seele Musik gemacht.

C Er hat sich aufs Ohr gehauen.

D Er hat nach Lust und Laune ferngesehen.

E Er hat sich die Nacht um die Ohren geschlagen.

F Er hat das Rennen gemacht.

3   Lösen Sie das Rätsel.

1. „Was hast du am Wochenende vor?" – „Noch nichts. Wollen wir uns mal wieder eine ganze

Nacht _____ die Ohren schlagen?"

2. „Entschuldige, Petra, ich habe dir nicht mal Blumen

mitgebracht!" – „Das spielt doch keine _____!

Ich freue mich über deinen Besuch."

3. „Dein Mann kocht wunderbar. Es schmeckt toll!" – „Ja, er kocht

mit _____ und Seele."

4. „Du hast ja schon wieder deine alten Jeans an! Hast du

vergessen, dass wir heute ins Theater gehen? Da kannst du

dich mal ein bisschen in _____ werfen."

5. „In der Stadtbibliothek gibt es für jeden Geschmack etwas.

Dort kannst du dir nach _____ und Laune Bücher ausleihen."

6. „Ich sehe dich gar nicht mehr mit deinem Motorrad." – „Ja, dieses teure Hobby

habe ich an den _____ gehängt."

7. „Nach der Radtour bin ich sehr müde, ich hau mich aufs _____."

Lösungswort: Üben Sie fleißig weiter! Denn: Übung macht den _____.

Und außerdem ist noch kein _____ vom Himmel gefallen.

Schlange stehen	*in einer langen Reihe von Menschen warten*	„Warum hast du so schlechte Laune?" – „Ich habe im Bahnhof eine halbe Stunde Schlange gestanden, um mir eine Fahrkarte für das Wochenende zu kaufen. So kann man seine Freizeit auch verbringen!"
eine **Schlappe** einstecken *(ugs.)*	*einen Misserfolg, eine Niederlage erleiden*	„Hat deine Schwester gestern am Tangowettbewerb teilgenommen?" – „Ja, aber leider hat sie eine Schlappe einstecken müssen. Sie und ihr Partner belegten nur den vorletzten Platz."
wie am **Schnürchen** klappen *(ugs.)*	*etwas läuft problemlos, genau nach Plan ab*	„Zum Abschluss der heutigen Flugschau danken wir den Organisatoren. Alles war bestens vorbereitet und klappte wie am Schnürchen."
Jetzt ist (aber) **Sense**! *(ugs.)*	*Jetzt ist Schluss!*	„Kinder, kommt endlich ins Haus, es wird schon bald dunkel!" – „Ach bitte, liebe Mama, lass uns noch ein Viertelstündchen Federball spielen." – „Na gut, aber dann ist wirklich Sense für heute!"
aus dem **Stegreif**	*ohne Vorbereitung; spontan*	Auf einer Geburtstagsfeier: „Marcus, willst du nicht eine kurze Rede halten? Du kennst Tanja doch schon so lange." – „Nein, so aus dem Stegreif kann ich das nicht."
jemanden (nicht) vom **Stuhl** reißen *(ugs.)*	*jemanden (nicht) begeistern*	„Wie hat dir denn das neue Musical gefallen?" – „Ehrlich gesagt, mich hat es nicht vom Stuhl gerissen. Die Künstler waren zwar gut, aber die Handlung war ziemlich langweilig."
Trübsal blasen *(ugs.)*	*traurig sein; in mutloser Stimmung sein*	„Lena, was ist los? Du bläst schon seit Tagen Trübsal!" – „Ich weiß selbst nicht, warum ich so traurig bin." – „Ich habe eine Idee! Wir machen am Wochenende eine Radtour. Das bringt dich auf andere Gedanken."
ein blaues **Wunder** erleben *(ugs.)*	*etwas sehr Unangenehmes erleben*	„Es ist schon sieben. Renate müsste längst hier sein." – „Hoffentlich hat sie unsere Verabredung zum Tennis nicht vergessen." – „Das wäre schon das zweite Mal. Na, dann kann sie aber ihr blaues Wunder erleben!"
die **Zeit** totschlagen *(ugs.)*	*die Zeit nutzlos verbringen; versuchen, sich irgendwie zu beschäftigen*	„Was hast du gestern Abend gemacht?" – „Hm, nichts Besonderes. Ich war allein zu Hause und habe die Zeit vor dem Fernseher totgeschlagen."
über das **Ziel** hinausschießen *(ugs.)*	*mit zu viel Eifer handeln und dabei zu weit gehen; bei einer Sache stark übertreiben*	„Verena, deine Tochter geht zwei Mal pro Woche zum Ballett, zwei Mal zum Reiten und jetzt hast du sie auch noch zum Geigenunterricht angemeldet. Meinst du nicht, dass du ein bisschen über das Ziel hinausschießt? Sie ist doch erst fünf!"

1 Was passt zusammen? Ordnen Sie zu.

1 wie am Schnürchen
2 über das Ziel
3 die Zeit
4 ein blaues Wunder
5 eine Schlappe
6 Trübsal

A einstecken
B erleben
C klappen
D hinausschießen
E blasen
F totschlagen

2 Ergänzen Sie das passende Substantiv.

1. über das _____ hinausschießen
2. ein blaues _____ erleben
3. _____ stehen
4. Jetzt ist _____!
5. die _____ totschlagen
6. jemanden nicht vom _____ reißen

45 Tor	33 Ziel	10 Zentrum
30 Wunder	24 Tuch	90 Wasser
20 Tiger	50 Schlange	63 Elefant
85 Hammer	12 Zange	40 Sense
18 Uhr	82 Zeit	44 Minuten
20 Schrank	65 Tisch	35 Stuhl

Haben Sie alles richtig? Überprüfen Sie selbst: ☐ + ☐ – ☐ + ☐ + ☐ – ☐ = 100

3 Was meint das Gleiche? Verbinden Sie.

1 Sie hat einen Misserfolg gehabt.
2 Sie hat etwas Unangenehmes erlebt.
3 Sie hat in einer langen Reihe von Leuten gewartet.
4 Sie hat ohne Vorbereitung eine Rede gehalten.
5 Sie ist mit ihrem Handeln zu weit gegangen.
6 Sie war sehr traurig und ohne Mut.

A Sie hat Trübsal geblasen.
B Sie hat eine Schlappe eingesteckt.
C Sie hat aus dem Stegreif gesprochen.
D Sie hat ein blaues Wunder erlebt.
E Sie hat Schlange gestanden.
F Sie ist über das Ziel hinausgeschossen.

4 Welche Redewendung passt? Ergänzen Sie in der richtigen Form.

jemanden vom Stuhl reißen ● über das Ziel hinausschießen
● wie am Schnürchen klappen ● Trübsal blasen

1. „Was ist los mit dir?" – „Ach, ich habe zu nichts Lust. Ich bin einfach traurig." – „Wenn du keinen Grund dafür hast,

   dann hör auf _____! Komm, wir machen einen Stadtbummel."

2. „Mein Mann will im Urlaub in zwei Wochen vier Länder bereisen! Ich finde, das ist zu viel. Wir sollten mit unseren

   Reiseplänen nicht _____."

3. „Der Film hat mich nicht _____." – „Ja, ich fand ihn auch langweilig."

4. „Wie lief das Training?" – „Wunderbar, alles _____!"

Ab durch die Mitte! *(ugs.)*	*Aufforderung, sich schnell zu entfernen*	„Mama, ich gucke noch einen Trickfilm, ja?" – „Max, es ist schon acht Uhr, und du musst morgen in die Schule. Also ab durch die Mitte und schnell ins Bett!"
Der **Apfel** fällt nicht weit vom Stamm.	*im Charakter oder im Verhalten seinen Eltern sehr ähnlich sein*	Sara: „Oma, ich will Schauspielerin werden." Oma: „Na ja, der Apfel fällt nicht weit vom Stamm. Der Vater ist Pianist, die Mutter Sängerin und die Tochter will Schauspielerin werden."
in den sauren **Apfel** beißen *(ugs.)*	*etwas Unangenehmes auf sich nehmen*	Zwischen Vater und Sohn: „Ich fahre nicht mit zu Onkel Richards Geburtstag am Wochenende." – „Wie bitte? Warum denn nicht?" – „Ich muss arbeiten. Ich brauche dringend Geld für den Urlaub, also muss ich in den sauren Apfel beißen."
aus der **Art** schlagen	*sich ganz anders entwickeln oder verhalten als alle anderen Verwandten*	„Stell dir vor", sagt Herr Richter zu seinem Freund, „mein Sohn hat im Abiturzeugnis eine Eins in Deutsch. Damit schlägt er richtig aus der Art, denn für Deutsch habe ich mich nie sehr interessiert. Und seine Mutter hat Naturwissenschaften studiert."
auf die schiefe **Bahn** geraten / kommen	*ein unmoralisches Leben beginnen; auf Abwege geraten*	Zeitungsmeldung: „Dieses Jahr gab es weniger Fälle von Jugendkriminalität. Trotzdem sollte man sich vor allem in den Familien viel mehr um die Kinder kümmern, damit sie nicht auf die schiefe Bahn geraten."
Bäume ausreißen können *(ugs.)*	*gesund und kräftig sein; sehr viel leisten können*	Oma zu ihrer Enkelin Paula: „Machst du mit mir einen Spaziergang? Ich fühle mich heute so wohl, dass ich Bäume ausreißen könnte."
die **Beine** unter jemandes Tisch strecken	*von jemandem finanziell abhängig sein; sich von jemandem ernähren lassen*	Ute: „Ich habe keine Lust, die zehnte Klasse zu machen. Nach der neunten höre ich auf." Vater: „Wie bitte? Also, solange du die Beine unter meinen Tisch streckst, tust du, was ich sage. Und du beendest auf jeden Fall die zehnte Klasse. Danach kannst du dann einen Beruf erlernen."
in die **Brüche** gehen *(ugs.)*	*kaputtgehen*	Unter Verwandten: „Hast du schon gehört, unsere Cousine Maike lässt sich scheiden." – „Na, das wundert mich nicht. So unterschiedlich wie sie und ihr Mann sind, musste diese Ehe in die Brüche gehen."
sich auf seine vier **Buchstaben** setzen *(ugs.)*	*sich hinsetzen; Ruhe geben*	Mutter und Sohn in der Küche: „Luis, jetzt hör endlich auf herumzuspringen und setz dich auf deine vier Buchstaben. Sonst kippt noch ein Topf um, und du verbrennst dich."
das **Eis** ist gebrochen	*(fremde) Menschen sind sich nähergekommen*	„In der ersten Zeit war es mit unserem Adoptivsohn nicht leicht, aber jetzt ist das Eis gebrochen. Darüber ist die ganze Familie glücklich."

1 Was ist richtig? Kreuzen Sie an.

1. ab durch ☐ den Gang ☐ das Zentrum ☒ die Mitte

2. in den ☐ süßen ☐ sauren ☐ faulen Apfel beißen

3. das Eis ist ☐ gebrochen ☐ geschmolzen ☐ gegessen

4. auf die ☐ schnelle ☐ hohe ☐ schiefe Bahn geraten

2 Was meint das Gleiche? Verbinden Sie.

1 Die Tochter verhält sich ganz wie die Mutter.

2 Nimm Platz und gib Ruhe!

3 Lukas ist finanziell noch von seinen Eltern abhängig.

4 Der älteste Sohn ist ganz anders als die ganze Familie.

5 Erikas Eltern haben sich getrennt.

A Er ist aus der Art geschlagen.

B Ihre Ehe ist in die Brüche gegangen.

C Der Apfel fällt nicht weit vom Stamm.

D Er streckt die Beine noch unter den Tisch seiner Eltern.

E Setz dich auf deine vier Buchstaben.

3 Ergänzen Sie das passende Substantiv.

Eis ● Bahn ● Art ● Tisch ● Apfel ● Stamm

1. Mit seiner lockeren Art hat der neue Partner von Evas Mutter schnell das
_____Eis_____ gebrochen.

2. Nicht selten schlagen Kinder aus der _____.

3. In vielen Lebenssituationen muss man in den sauren _____ beißen.

4. Nicht immer sind die Eltern daran schuld, dass die Kinder auf die schiefe _____ geraten.

5. Manche jungen Leute strecken viele Jahre die Beine unter den _____ ihrer Eltern.

6. In Künstlerfamilien sieht man oft, dass der Apfel nicht weit vom _____ fällt.

4 Sagen Sie es mit einer Redewendung.

1. Nach zehn Jahren lassen sich seine Eltern scheiden. **Ihre Beziehung ist kaputt.**

_____

2. **Er hat seine Lehre abgebrochen und hat ganz komische Freunde. Außerdem raucht und trinkt er viel.**

_____

3. Zum Glück **ist** Tante Hanna nach ihrer langen Krankheit **wieder gesund und kräftig**.

_____

4. In Alexanders Familie sind alle Männer Anwälte, aber **er ist ganz anders**. Er will Tischler werden.

_____

5. Britta spielt Klavier, wie die Mutter, und sie liest viel, wie der Vater. Man kann sagen: **Ganz wie die Eltern.**

_____

für jemanden durchs **Feuer** gehen	*alles für jemanden tun*	„Versteht du dich gut mit deinem großen Bruder?" – „Ja, sehr gut! Für ihn würde ich durchs Feuer gehen, und er für mich auch. Da bin ich mir ganz sicher."
keinen **Finger** krumm machen *(ugs.)*	*nichts tun; sehr faul sein*	„Anna, wie ist das bei euch in der Familie? Hilft dir dein Mann im Haushalt?" – „Nein, leider macht er keinen Finger krumm. Sogar den Müll muss ich wegbringen."
jemandem einen **Floh** ins Ohr setzen *(ugs.)*	*in jemandem unerfüllbare Wünsche wecken*	Onkel Fred: „Bernhard, bevor du deine Ausbildung anfängst, könntest du doch für ein Jahr zu mir in die USA kommen." Bernhard: „Ja, das wäre ganz toll!" Vater von Bernhard: „Setz dem Jungen keinen Floh ins Ohr. So einen Luxus können wir uns nicht leisten."
in jemandes **Fußstapfen** treten	*jemandes Vorbild folgen (beruflich)*	Leo: „Ich werde Maurer und übernehme später Opas Betrieb." Mutter: „Da wird er sich freuen, dass du in seine Fußstapfen treten möchtest."
gang und **gäbe** sein	*etwas ist üblich*	„Bei uns ist es gang und gäbe, dass mein Vater meiner Mutter jeden Freitag einen Strauß Blumen schenkt."
jemandem reißt der **Geduldsfaden** *(ugs.)*	*jemand verliert die Geduld*	Mutter und Vater im Gespräch: „Wenn Markus morgen wieder nicht in den Kindergarten gehen will, reißt mir der Geduldsfaden."
ein langes **Gesicht** machen	*enttäuscht blicken*	Kind: „Warum fahren wir zu Ostern nur drei Tage an die Ostsee?" Vater: „Jetzt mach nicht so ein langes Gesicht. Andere Familien verreisen überhaupt nicht."
jemandem wie aus dem **Gesicht** geschnitten sein	*jemandem sehr ähnlich sehen*	„Unsere Tochter sieht keinem von uns beiden ähnlich." – „Ja, das stimmt. Aber sie ist deiner Mutter wie aus dem Gesicht geschnitten."
bei jemandem auf **Granit** beißen	*bei jemandem auf absolute Ablehnung stoßen; bei jemandem nichts erreichen können*	Unter Freunden: „Zu meinem 17. Geburtstag bekomme ich von meinen Eltern ein Motorrad." – „Hast du ein Glück! Mit dem Wunsch beiße ich bei meinen auf Granit. Sie haben Angst, dass ich einen Unfall baue."
sich wegen etwas keine grauen **Haare** wachsen lassen *(ugs.)*	*sich keine unnötigen Sorgen machen*	Zwei Mütter im Gespräch: „Was soll ich nur mit meinem Sohn tun? Er hat zu nichts Lust. Alles findet er blöd." – „Lass dir deswegen keine grauen Haare wachsen. Mit fünfzehn Jahren ist das normal. Du wirst sehen, bald ist diese Phase auch vorbei."

1 Was passt zusammen? Kombinieren Sie.

1. für jemanden	Gesicht	wachsen lassen
2. keinen Finger	geschnitten	machen
3. ein langes	ins Ohr	gehen
4. sich wegen etwas	durchs Feuer	setzen
5. jemandem einen Floh	krumm	machen
6. jemandem wie aus dem Gesicht	keine grauen Haare	sein

2 Was ist richtig? Kreuzen Sie an.

1. Für ihre Schwester würde Clara ☐ aufs ☐ ins ☒ durchs Feuer gehen.

2. Opa, setz dem Jungen keinen Floh ☐ hinters ☐ ins ☐ aufs Ohr! Ein Musikstudium! Für Musik hat er wirklich kein Talent.

3. Mit dem Vorschlag beißt du bei Papa ☐ auf ☐ an ☐ in Granit. Er kauft dir bestimmt keinen Hund.

4. Meine Tochter ist ihrer Oma wie ☐ mit ☐ nach ☐ aus dem Gesicht geschnitten.

3 Sagen Sie es mit einer Redewendung.

1. Wenn etwas allgemein üblich ist, dann _____ *ist es gang und …* _____ .

2. Wenn wir enttäuscht oder verärgert gucken, dann _____ .

3. Wenn unsere Geduld zu Ende ist, dann _____ .

4. Wenn ich jemandes Beispiel folge, dann _____ .

5. Wenn wir bereit sind, für einen geliebten Menschen alles zu tun, dann _____ .

4 Lösen Sie das Kreuzworträtsel.

waagerecht:

1. „Allein in den Urlaub? Mit dieser Frage beißen wir bei unseren Eltern auf _____."

2. „Meine Tochter macht zu Hause keinen _____ krumm."

3. „Meine Mutter lässt sich wegen dieser Kleinigkeit keine grauen _____ wachsen."

senkrecht:

1. „Den _____ hast du mir ins Ohr gesetzt, Papa. Jetzt versuche ich mein Glück als Sänger."

2. „In unserer Familie ist es _____ und gäbe, dass wir Weihnachten zusammen feiern."

3. „Macht nicht so ein langes _____ wegen des schlechten Wetters! Ihr könnt ja auch nächstes Wochenende mit Papa ins Schwimmbad gehen."

Hals über Kopf *(ugs.)*	*schnell und ohne nachzudenken*	„Hast du Mario heute in der Vorlesung gesehen?" – „Er ist gestern Hals über Kopf nach Hause gefahren. Sein geliebter Opa liegt im Krankenhaus."
unter die **Haube** kommen *(ugs.)*	*heiraten (als Frau)*	Oma: „Dein Freund ist aber sehr nett. Habt ihr schon ans Heiraten gedacht?" Enkelin: „Aber Oma! Ich will doch Jura studieren Es dauert noch lange, bis ich unter die Haube komme."
sich ein **Herz** fassen *(ugs.)*	*seinen ganzen Mut zusammennehmen, um etwas zu tun*	„Ich möchte gerne zusammen mit meiner Freundin eine WG gründen. Aber dann sind meine Eltern bestimmt sehr enttäuscht." – „Na, das ist doch normal, dass man irgendwann eine eigene Wohnung haben möchte. Fass dir endlich ein Herz und sag es ihnen."
jemanden / etwas auf **Herz** und Nieren prüfen *(ugs.)*	*jemanden oder etwas gründlich prüfen*	Unter Freunden: „Was meinen deine Eltern zu deiner neuen Freundin?" – „Sie finden sie beide sehr nett. Aber meine Mutter hat Regina auf Herz und Nieren geprüft. Das war mir ziemlich peinlich."
die **Hosen** anhaben *(ugs.)*	*alles bestimmen; das Sagen haben*	„Bei Müllers hat auf jeden Fall Frau Müller die Hosen an." – „Ja, so etwas könnte ich mir gar nicht vorstellen. Meine Frau und ich entscheiden alles gemeinsam."
mit den **Hühnern** schlafen gehen *(ugs.)*	*sehr frühzeitig ins Bett gehen*	„Schade, dass Tante Ulla immer schon mit den Hühnern schlafen geht. Es wäre schön, wenn sie bei unserem monatlichen Familienabend auch dabei wäre."
etwas auf seine / die eigene **Kappe** nehmen *(ugs.)*	*die Verantwortung für etwas übernehmen*	Mutter und Tochter: „Mama, ich habe beim Waschen Papas neues Hemd verfärbt. Darüber wird er sich sehr ärgern." – „Ich nehme es auf meine Kappe. Ich sage ihm, ich war es. Aber pass das nächste Mal besser auf!"
die **Karten** auf den Tisch legen	*seine wahren Absichten, Pläne zeigen; nichts verheimlichen*	„Zwischen Andreas und seinen Eltern hat es gestern einen großen Streit gegeben. Seine Eltern wollen unbedingt, dass er Informatik studiert." – „Na, da hätte er doch sicher auch gute Berufschancen." – „Ja schon, aber er möchte Bibliothekar werden. Und gestern hat er nun die Karten auf den Tisch gelegt."
für die **Katz** sein *(ugs.)*	*vergeblich sein*	„Der älteste Sohn von deinem Cousin benimmt sich unmöglich." – „Ja, leider. Dabei haben sich seine Eltern bei der Erziehung so viel Mühe gegeben." – „Na, das war wohl für die Katz."
jemandem auf dem **Kopf** herumtanzen *(ugs.)*	*jemanden rücksichtslos und ohne Respekt behandeln; seine Gutherzigkeit missbrauchen*	Mutter: „Sei nicht so streng zu unserer Tochter, sie ist doch meistens lieb." Vater: „Ein bisschen Strenge muss auch sein, sonst tanzen die Kinder den Eltern auf dem Kopf herum."

1 Was passt? Ergänzen Sie.

1. jemanden auf Herz und ___Nieren___ prüfen

2. die Hosen _____

3. mit den Hühnern _____ gehen

4. die _____ auf den Tisch legen

5. jemandem auf dem _____ herumtanzen

N̶i̶e̶r̶e̶n̶ ● Leber ● Magen
anziehen ● tragen ● anhaben
essen ● schlafen ● spazieren
Karten ● Tischdecke ● Hände
Tisch ● Kopf ● Fuß

2 Was meint das Gleiche? Verbinden Sie.

1. Unsere Tante hat erst mit 50 geheiratet.

2. Mein Cousin Jörg musste überstürzt in eine andere Stadt ziehen.

3. Die Verantwortung für meinen Fehler hat mein großer Bruder übernommen.

4. Meine Oma ging immer frühzeitig ins Bett.

5. Onkel Uwe gab seine wahre Absicht bekannt.

A Sie ging mit den Hühnern schlafen.

B Sie kam endlich unter die Haube.

C Er hat die Karten auf den Tisch gelegt.

D Er musste Hals über Kopf umziehen.

E Er hat ihn auf seine Kappe genommen.

3 Sagen Sie es mit einer Redewendung.

1. Wenn etwas vergebens war, dann ___war es für die ..._____.

2. Wer zu Hause alles selbst bestimmt, der _____.

3. Wer heiratet, der _____.

4. Wer seinen ganzen Mut zusammennimmt, der _____.

4 Welche Redewendung passt? Ergänzen Sie in der richtigen Form.

Ronny und Jana kennen sich schon lange. Sie lieben sich sehr. Es gibt nur ein Problem: Janas Familie mag Ronny nicht besonders. Jana will aber mit ihm für immer zusammen sein, sie will bald _____.

Ronny ist einverstanden. „Alle sollen es gleich heute erfahren", sagt Jana, „wir schicken ihnen eine E-Mail und _____. Wir heiraten am Samstag!"

Die Verwandten sind sehr schockiert. „Oh je", rufen sie, „nur noch zwei Tage! Und wir haben kein Geschenk, keine eleganten Kleider und nun müssen wir gleich morgen früh _____ nach Buxtehude fahren." Da sie am Freitag sehr frühzeitig aufstehen müssen, _____.

Die Hochzeitsfeier ist einfach, aber schön. Janas Familie findet jetzt, dass Ronny eigentlich doch sehr nett ist. Sein Schwiegervater gibt ihm noch einen Rat:

„Pass auf, dass Jana nicht alles bestimmt! Sie will immer _____."

jemanden an die **Leine** legen (ugs.)	*jemandem nur wenige Freiheiten lassen*	„Meinst du nicht, dass deine Kinder zu viele Freiheiten haben? Sie sind abends nie zu Hause." – „Ich denke, Jugendliche darf man nicht an die Leine legen, sie sollen doch ihren eigenen Weg finden."
jemandem die **Leviten** lesen (ugs.)	*jemanden streng tadeln*	Vater: „Welche Note hat Robert in seiner letzten Mathearbeit?" Mutter: „Leider wieder nur eine Vier!" Vater: „Na, da müssen wir ihm mal wieder die Leviten lesen."
von etwas ein **Lied** singen können (ugs.)	*etwas Unangenehmes aus eigener Erfahrung kennen*	Zwei junge Mütter treffen sich: „Unser Sohn ist nun schon ein Jahr, aber er schläft keine Nacht durch." – „Ach, davon kann ich auch ein Lied singen. Dieses Problem hatten wir mit unserer Tochter lange Zeit."
jemandem ein **Loch / Löcher** in den Bauch fragen (ugs.) 	*jemandem sehr viele Fragen stellen*	Leon: „Opa, was ist das?" Opa: „Ein Vogel." Leon: „Was macht der da?" Opa: „Er baut sich ein Nest." Leon: „Warum baut er sich ein Nest?" Opa: „Damit er darin schlafen kann." Leon: „Warum schläft der Vogel dort?" Opa: „Ach, Leon, so viele Fragen, du willst dem Opa wohl Löcher in den Bauch fragen?" Leon: „Warum in den Bauch?"
gute **Miene** zum bösen Spiel machen (ugs.)	*sich verstellen; sich den Ärger über etwas nicht anmerken lassen*	„Na, hat sich das Verhältnis zu deinen Schwiegereltern inzwischen gebessert?" – „Ja, seit wir unseren Sohn haben, sind sie ganz nett zu mir. Aber ich weiß nicht, ob sie es ehrlich meinen oder nur gute Miene zum bösen Spiel machen."
das eigene **Nest** beschmutzen (ugs.)	*schlecht über die eigene Familie oder das Heimatland sprechen*	„Es gefällt mir gar nicht, wie du über deine Eltern sprichst. Sicher haben sie dich manchmal nicht verstanden. Trotzdem solltest du nicht das eigene Nest beschmutzen."
sich ins gemachte **Nest** setzen (ugs.)	*ohne eigene Anstrengung in eine bequeme Situation oder gute Position kommen*	„Tanja hat sich mit ihrer Heirat wirklich ins gemachte Nest gesetzt." – „Ja, sie hat jetzt ein großes Haus mit Garten, ein teures Auto und ... Dafür müssen andere viele Jahre lang hart arbeiten."
auf diesem **Ohr** taub sein (ugs.)	*von einer bestimmten Sache nichts hören wollen*	„Papa, kann ich am Samstag mit deinem Auto zur Disko fahren?" – „Du weißt doch, auf diesem Ohr bin ich taub. Das ist zu gefährlich. Fahr mit dem Bus!"
jemandem die **Ohren** lang ziehen (ugs.)	*jemanden bestrafen*	„Kinder, ich zieh euch gleich die Ohren lang! Was macht ihr denn da im Garten der Nachbarn?" – „Nichts Schlimmes, wir suchen nur unseren Fußball."
unterm **Pantoffel** stehen (ugs.)	*sich herumkommandieren lassen; seinen eigenen Willen nicht durchsetzen können*	„Wo ist Max?" – „Keine Ahnung. Seit er verlobt ist, kommt er fast nie mehr zu unseren Skatabenden." – „Ich habe gehört, dass er total unter dem Pantoffel steht. Seine Verlobte lässt ihn kaum allein aus dem Haus."

1 Was passt zusammen? Ordnen Sie zu.

1	das eigene Nest		A	singen können
2	jemandem die Leviten		B	sein
3	auf diesem Ohr taub		C	stehen
4	unterm Pantoffel		D	beschmutzen
5	jemandem die Ohren lang		E	lesen
6	von etwas ein Lied		F	ziehen

2 Welches Substantiv passt? Kreuzen Sie an.

1. jemanden an die [X] Leine ☐ Linie ☐ Schnur   legen

2. sich ins gemachte ☐ Bett ☐ Nest ☐ Haus   setzen

3. jemandem die ☐ Beine ☐ Ohren ☐ Haare   lang ziehen

4. unterm ☐ Pantoffel ☐ Stiefel ☐ Schuh   stehen

5. jemandem ein ☐ Kreuz ☐ Ohr ☐ Loch   in den Bauch fragen

6. gute Miene zum bösen ☐ Gesicht ☐ Spiel ☐ Spaß   machen

3 Sagen Sie es mit einer Redewendung.

1. Wer seinen Sohn streng tadelt, der _liest ihm die ..._____ .

2. Wer ohne Anstrengung eine gute Position bekommt, der _____ .

3. Wer seine Eltern sehr viel fragt, der _____ .

4. Wer seinen Kindern sehr wenig Freiheit gibt, der _____ .

5. Wer sich seinen Ärger nicht anmerken lässt, der _____ .

6. Wer sich von einem Familienmitglied herumkommandieren lässt, der _____ .

4 Welche Redewendung passt? Ergänzen Sie in der richtigen Form.

> auf diesem Ohr taub sein ● von etwas ein Lied singen können
>
> ● gute Miene zum bösen Spiel machen ● jemandem die Ohren lang ziehen

1. „Mein Sohn kommt immer mit schmutzigen Hosen nach Hause. Ich kann gar nicht so schnell waschen." – „Wem

   sagst du das? Bei meinen Söhnen ist es genauso, auch ich _____."

2. „Frag mal deinen Vater, ob du mit mir zum Bungeejumping gehen darfst." – „Das habe ich schon versucht, aber

   _____. Er sagt, das ist zu gefährlich."

3. „Papa, wie war das früher, wenn du eine schlechte Note bekommen hast? Waren deine Eltern auch so streng zu

   dir?" – „Na klar, noch viel strenger! Sie _____."

4. „Was soll ich nur machen? Meine Schwiegereltern geben meinen Kindern zu viele Süßigkeiten. Ich möchte

   das nicht." – „Du solltest mit ihnen reden. Zu viel Süßes ist sehr schädlich für die Gesundheit. Da darfst du nicht

   _____."

jemandem den **Rücken** frei halten / stärken	*jemanden bei etwas unterstützen*	Schwestern untereinander: „Wie du das alles schaffst! Du hast zwei Kinder, arbeitest Vollzeit und jetzt unterrichtest du auch noch an der Volkshochschule." – „Ja, wenn mein Mann mir nicht den Rücken frei halten würde, wäre das nicht möglich."
mit **Sack** und Pack *(ugs.)*	*mit allem, was man hat*	Mutter und Tochter: „Willst du nächstes Jahr wirklich mit Sack und Pack zu deinem Freund nach Australien ziehen?" – „Ja, ich möchte dort mit ihm leben. Aber ich besuche dich und Papa so oft wie möglich."
andere **Saiten** aufziehen *(ugs.)*	*strenger werden im Umgang mit jemandem*	Eine verärgerte Oma zu ihrem frechen kleinen Enkel: „Mein lieber Freund, wenn du nicht bald dein Verhalten änderst, werden wir mit dir andere Saiten aufziehen."
sich von jemandem eine **Scheibe** abschneiden (können) *(ugs.)*	*jemanden als Vorbild nehmen (können)*	„Stefanie, von deiner kleinen Schwester kannst du dir eine Scheibe abschneiden. Sie hat gute Noten in der Schule, spielt Klavier und hilft mir auch im Haushalt. Und du sitzt immer nur vor dem Fernseher."
wissen, wo jemanden der **Schuh** drückt *(ugs.)*	*die geheimen Sorgen oder Probleme eines anderen kennen*	Vater: „Unser Sohn ist so verändert, er sieht so traurig aus. Weißt du, wo ihn der Schuh drückt?" Mutter: „Ja, ich habe heute mit ihm gesprochen und er hat mir erzählt, dass er sich unglücklich verliebt hat."
über die **Stränge** schlagen / hauen *(ugs.)*	*leichtsinnig und unüberlegt handeln; die Grenzen des Üblichen oder Erlaubten überschreiten*	„Was soll ich nur machen? Unsere Tochter kommt am Wochenende erst morgens nach Hause, und dann schläft sie bis zum Nachmittag." – „Sei nicht so streng zu ihr. Als du in ihrem Alter warst, hast du sicher auch manchmal über die Stränge geschlagen."
reinen **Tisch** machen *(ugs.)*	*offen mit jemandem reden; eine Angelegenheit klären*	„Endlich hat Sandra mit ihrer Schwägerin reinen Tisch gemacht. Jetzt sind sie wieder gute Freundinnen und unternehmen viel zusammen."
jemanden auf / in **Trab** halten *(ugs.)*	*jemanden nicht zur Ruhe kommen lassen*	Martin: „Hallo, wie geht es dir? Du siehst blass aus!" Alex: „Ich bin vor vier Wochen Vater geworden. Und unser Sohn hält uns rund um die Uhr auf Trab. Aber er ist so süß, wir haben viel Freude mit ihm."
etwas in den **Wind** schlagen *(ugs.)*	*einer Sache keine Beachtung schenken*	Mutter zu ihrer Tochter: „Dein neuer Freund passt überhaupt nicht zu dir. Du solltest dich schnell wieder von ihm trennen. Denk darüber nach und schlag meinen Rat nicht gleich in den Wind."
sich den **Wind** um die Nase / um die Ohren wehen lassen *(ugs.)*	*sich in der Welt umsehen; das Leben kennen lernen*	„Bevor ich geheiratet habe, habe ich mir erst ein bisschen den Wind um die Nase wehen lassen." – „Wie meinst du das?" – „Ich bin nach der Schule als Aupairmädchen nach Frankreich gegangen."

1 Welches Verb passt? Kreuzen Sie an.

1. etwas in den Wind ☒ schlagen ☐ rufen ☐ singen

2. andere Saiten ☐ spielen ☐ aufschlagen ☐ aufziehen

3. ☐ wissen ☐ glauben ☐ suchen, wo jemanden der Schuh drückt

4. über die Stränge ☐ schießen ☐ schlagen ☐ schneiden

5. sich von jemandem eine Scheibe ☐ abschauen ☐ abholen ☐ abschneiden

2 Ergänzen Sie das passende Substantiv.

1. reinen _Tisch_ machen

2. jemanden auf _____ halten

3. mit _____ und Pack

4. jemandem den _____ stärken

5. wissen, wo jemanden der _____ drückt

| Tisch ● Schrank ● Sessel ● Stuhl |
| Trab ● Galopp ● Schritt ● Tempo |
| Tasche ● Gepäck ● Sack ● Koffer |
| Bauch ● Hals ● Rücken ● Kopf |
| Schuh ● Gürtel ● Hut ● Rock |

3 Was meint das Gleiche? Es gibt immer zwei Möglichkeiten.

● A Er macht reinen Tisch. ● B Er hält jemanden auf Trab.
● C Er lässt sich den Wind um die Ohren wehen. ● D Er hält jemandem den Rücken frei.

1. Er sieht sich in der Welt um. _C_

2. Er lässt jemanden nicht zur Ruhe kommen. _____

3. Er redet offen mit jemandem. _____

4. Er lernt das Leben kennen. _____

5. Er klärt eine Situation. _____

6. Er hilft jemandem. _____

7. Er treibt jemanden zum schnellen Arbeiten an. _____

8. Er unterstützt jemanden. _____

4 Sagen Sie es mit einer Redewendung.

1. „Sag mal, wohin willst du **mit allen deinen Sachen** /

_____?"

2. „Mein Bruder hat fast nur Einsen im Zeugnis! Er ist auch sehr fleißig und macht immer

seine Hausaufgaben. Meine Mutter sagt: ‚**An ihm kannst du dir ein Beispiel nehmen**' /

_____."

3. „Bevor ich mit dem Studium beginne, will ich mir ein bisschen **die Welt ansehen** /

_____."

4. „Felix, wie oft habe ich dir gesagt, du sollst mit deinem Fahrrad nicht so schnell

fahren. Nun hast du einen Unfall gehabt, nur weil du meinen Rat **nicht beachtet hast** /

_____."

jemandes **Achillesferse** *(geh.)*	*jemandes Schwachstelle, verwundbare Stelle*	„Noch ein Stück Torte, Herr Rosemann?" – „Danke, ich darf nicht so viel Kuchen essen. Ich bin sonst ganz gesund, aber mit dem Magen muss ich vorsichtig sein. Der ist meine Achillesferse."
die **Arbeit** nicht (gerade) erfunden haben *(ugs.)*	*nicht besonders fleißig sein; faul sein*	Manuela: „Dirk könnte uns doch beim Umzug helfen?" Andreas: „Vielleicht sollten wir lieber jemand anderen fragen. Dirk ist sehr nett, aber die Arbeit hat er nicht gerade erfunden."
auf der **Bärenhaut** liegen *(ugs.)*	*nichts tun; faulenzen*	„Kommt Martin heute Abend mit ins Kino?" – „Nein, er bleibt in seiner Freizeit lieber alleine zu Hause und liegt auf der Bärenhaut."
etwas auf die **Beine** stellen / bringen *(ugs.)*	*etwas aufbauen; Erfolg haben*	Vater: „Das Schuljahr ist fast zu Ende, und Ulf hat noch keinen Studienplatz. Wann bewirbt er sich endlich?" Mutter: „Mach dir keine Sorgen. Du kennst ihn doch. Wenn er sagt, dass er studieren will, dann stellt er es auch auf die Beine. Spät, aber sicher."
mit beiden **Beinen** (fest) im Leben stehen *(ugs.)*	*praktisch und realistisch denken und handeln*	„Hast du schon gehört, Andrea geht als Lehrerin nach China?" – „Ja, und das macht sie sicher gut. Sie weiß sich zu helfen und steht mit beiden Beinen im Leben."
jemanden / etwas mit **Beschlag** belegen *(ugs.)*	*jemanden / etwas ganz für sich allein beanspruchen*	„Mit Ulla kann man sich nur alleine treffen." – „Warum denn, ihr Freund ist doch auch sehr nett?" – „Ja schon, aber er belegt sie immer mit Beschlag. Man kann sich mit ihr gar nicht unterhalten."
kein **Blatt** vor den Mund nehmen *(ugs.)*	*ganz offen seine Meinung sagen*	Lydia: „Opa, erzähl mir bitte etwas von der Oma. Ich kann mich nicht mehr an sie erinnern." Opa: „Sie war sehr lieb und nett. Aber sie war auch eine Frau, die kein Blatt vor den Mund nahm. Sie sagte jedem die Wahrheit ins Gesicht."
ein unbeschriebenes **Blatt** sein *(ugs.)*	*ein unerfahrener oder ein noch unbekannter Mensch sein*	Aus dem Kulturmagazin: „Die junge Schauspielerin hat in ihrer ersten Hauptrolle wirklich überzeugt. Noch gestern war sie ein unbeschriebenes Blatt, aber jetzt hat sie das Herz des Publikums erobert."
jemandem das **Blaue** vom Himmel versprechen *(ugs.)*	*Unmögliches versprechen; Lügen erzählen*	„Der Mann meiner Freundin verspricht ihr das Blaue vom Himmel. Und sie glaubt ihm immer alles."
am **Boden** zerstört sein *(ugs.)*	*sehr erschöpft sein; völlig niedergeschlagen sein*	Auf einer Party: „Was ist mit Achim los? Warum ist er nicht mitgekommen?" – „Seine Freundin hat Schluss mit ihm gemacht, und jetzt ist er völlig am Boden zerstört. Er ist ein sehr sensibler Mensch."

1 Was bedeutet die Redewendung? Kreuzen Sie an.

1. kein Blatt vor den Mund nehmen

☐ nie Salat essen   ☐ nie etwas lesen   ☒ ganz offen seine Meinung sagen

2. das Blaue vom Himmel versprechen

☐ unverschämt lügen   ☐ jemandem etwas Blaues schenken   ☐ ein Flugticket versprechen

3. jemandes Achillesferse

☐ seine schönste Seite   ☐ seine Schwachstelle   ☐ seine mächtigste Waffe

4. mit beiden Beinen im Leben stehen

☐ man hat starke Beine   ☐ man läuft nicht gern   ☐ man findet sich überall zurecht

5. auf der Bärenhaut liegen

☐ stark wie ein Bär sein   ☐ viel arbeiten   ☐ nichts tun

2 Welches Substantiv passt?

1. die _____Arbeit_____ nicht erfunden haben

2. etwas auf die _____ stellen

3. ein unbeschriebenes _____ sein

4. am _____ zerstört sein

| Arbeit ● Zeitmaschine ● Technik ● Ausbildung |
| Arme ● Füße ● Hände ● Beine |
| Blatt ● Buch ● Heft ● Papier |
| Himmel ● Strand ● Boden ● Baum |

3 Was meint das Gleiche? Verbinden Sie.

1 Opa kam in jeder Situation zurecht.

2 Onkel Fred war nicht besonders arbeitsam.

3 Herr Braun sagte seine Meinung immer offen.

4 Letztes Jahr war dieser Autor noch völlig unbekannt.

5 Max versprach seiner Freundin unmögliche Sachen.

A Er nahm kein Blatt vor den Mund.

B Er versprach ihr das Blaue vom Himmel.

C Er stand mit beiden Beinen im Leben.

D Er hatte die Arbeit nicht erfunden.

E Er war ein unbeschriebenes Blatt.

4 Wie sagt man es mit einer Redewendung? Ergänzen Sie in der richtigen Form.

1. Wenn jemand Unmögliches verspricht, dann _____.

2. Wenn jemand etwas aufbaut und Erfolg hat, dann _____.

3. Wenn jemand seine Meinung ganz offen sagt, dann _____.

4. Wenn jemand in jeder Situation zurechtkommt, dann _____.

5. Wenn jemand sehr deprimiert ist, dann _____.

6. Wenn jemand eine Person ganz für sich beansprucht, dann _____.

dumm wie **Bohnenstroh** sein (ugs.)	*unglaublich dumm sein*	„Unsere Nachbarn sind beide sehr intelligent. Aber ihr Sohn ist dumm wie Bohnenstroh. Man kann es kaum glauben."
mit dem **Feuer** spielen	*eine Gefahr leichtsinnig herausfordern*	„Im Urlaub habe ich einen tollen Mann kennen gelernt." – „Du hast zu Hause einen wirklich netten Freund. Warum musst du immer mit dem Feuer spielen?"
weder **Fisch** noch Fleisch sein (ugs.)	*nicht richtig einzuordnen sein*	„Was hältst du denn von unserem neuen Kollegen?" – „Also, ich weiß nicht. Im Gespräch mit uns war er auch gegen die Umstrukturierung der Abteilung, aber vor dem Direktor sagte er kein Wort. Irgendwie ist er weder Fisch noch Fleisch."
sich ins eigene **Fleisch** schneiden (ugs.)	*sich selbst schaden (durch eine Dummheit)*	Regina: „Warum hast du nur dieses alte Auto gekauft? Immer ist es kaputt, und wir streiten deswegen." Manfred: „Ja, du hast recht. Leider passiert mir das oft, dass ich mich ins eigene Fleisch schneide."
ein **Gedächtnis** wie ein Sieb haben (ugs.)	*schnell und immer wieder Dinge vergessen*	„Wir waren gestern Abend miteinander verabredet. Das ist jetzt schon das dritte Mal, dass du nicht gekommen bist. Ich muss dich wohl persönlich abholen?" – „Bitte entschuldige. Das tut mir sehr leid. Aber in letzter Zeit habe ich ein Gedächtnis wie ein Sieb."
sein wahres **Gesicht** zeigen	*durch ein bestimmtes Verhalten seine eigentliche Position oder seinen wahren Charakter zeigen*	Unter Kollegen: „So lange Herr Faber nur Assistent war, tat er immer sehr freundlich und nett. Seit er der Chef ist, verhält er sich ganz anders." – „Ja ja, jetzt zeigt er sein wahres Gesicht."
kein gutes **Haar** an jemandem / etwas lassen	*über jemanden oder etwas nur Schlechtes sagen*	„Frau Krämer ist immer unzufrieden und hat sehr oft schlechte Laune. Und sie erzählt gern schlechte Dinge über alle und alles. Sie lässt an nichts und niemandem ein gutes Haar."
Haare auf den Zähnen haben (ugs.)	*aggressiv reagieren; streitsüchtig sein*	Herr Martin: „Jetzt reicht es aber mit dem Lärm! Ich gehe jetzt zu unseren Nachbarn und beschwere mich." Frau Martin: „Mach das lieber nicht. Diese Leute haben Haare auf den Zähnen."
aus der **Haut** fahren (ugs.)	*sich über etwas aufregen; wütend werden*	Zwei Freundinnen: „Mit meinem Mann wird es immer schlimmer. Er fährt wegen allem aus der Haut. Mal sind die Kinder zu laut, mal ist es wegen der Arbeit. Und meistens bin ich schuld daran."
nicht aus seiner **Haut** (heraus)können (ugs.)	*sich nicht ändern oder anders verhalten können*	„Die Firma hat Maria einen tollen Arbeitsplatz in Berlin angeboten. Aber sie hat Nein gesagt. Sie möchte nicht weg von hier." – „Maria war immer so. Sie liebt dieses Dorf. Sie kann nicht aus ihrer Haut heraus."

1 **Ergänzen Sie die Redewendungen. Fünf Wörter bleiben übrig.**

> ~~Feuer~~ • Garage • Haut • essen • Spielzeug • lassen • sein
> • Zähnen • schneiden • Armen

1. mit dem _____Feuer_____ spielen

2. kein gutes Haar an jemandem _____

3. Haare auf den _____ haben

4. aus der _____ fahren

5. weder Fisch noch Fleisch _____

2 **Was passt zusammen? Verbinden Sie.**

1. Der Junge ist unglaublich dumm.
2. Mein Opa ist sehr vergesslich.
3. Der Nachbar erzählt nur Schlechtes über uns.
4. Sein Vater kann sich nicht ändern.
5. Mein Bruder streitet gern.

A. Er hat Haare auf den Zähnen.
B. Er kann nicht aus seiner Haut heraus.
C. Er ist dumm wie Bohnenstroh.
D. Er hat ein Gedächtnis wie ein Sieb.
E. Er lässt kein gutes Haar an uns.

3 **Was meint das Gleiche? Es gibt immer zwei Möglichkeiten.**

> • A aus der Haut fahren • C sein wahres Gesicht zeigen
> • B sich ins eigene Fleisch schneiden • D ein Gedächtnis wie ein Sieb haben

1. Er vergaß oft sogar seinen eigenen Geburtstag. __D__

2. Er wurde sehr leicht zornig. _____

3. Manchmal fügt man sich ungewollt selbst Schaden zu. _____

4. In schwierigen Situationen zeigen viele ihren echten Charakter. _____

5. Mit seinen Äußerungen hat sich mein Freund selbst geschadet. _____

6. Meine Lehrerin wurde immer bei jeder Kleinigkeit wütend. _____

7. Bei der Diskussion zeigte der Kandidat seine eigentliche Position. _____

8. Sie ist so vergesslich, dass sie oft ihre Schlüssel liegen lässt. _____

4 **Sagen Sie es mit einer Redewendung.**

1. Wer eine Gefahr leichtsinnig herausfordert, der _____.

2. Wer unglaublich dumm ist, der _____.

3. Wer sehr streitsüchtig ist, der _____.

4. Wer nur Schlechtes über jemanden sagt, der _____.

5. Wer seine Position nicht klar und offen zeigt, der _____.

das **Herz** auf dem rechten Fleck haben	*anständig und hilfsbereit sein*	„Zu Herrn Vogt kann man immer kommen, wenn man Hilfe braucht. Er hat das Herz auf dem rechten Fleck."
auf allen **Hochzeiten** tanzen *(ugs.)*	*überall dabei sein (wollen)*	Mutter: „Es ist zwei Uhr nachts, und du lernst immer noch für deine Deutschprüfung! Das kommt davon, dass du auf allen Hochzeiten tanzt: Disko, Kino … Für alles hast du Zeit, nur zum Lernen nicht."
bei jemandem ist **Hopfen** und Malz verloren *(ugs.)*	*man kann jemanden nicht ändern; jemand ist ein hoffnungsloser Fall*	Zwei Freunde: „Hast du schon gehört, Jonas hat wieder sein Studium abgebrochen." – „Das ist bereits das dritte Mal. Bei ihm ist wirklich Hopfen und Malz verloren. Aus dem wird nie etwas!"
sich nicht in die **Karten** sehen / schauen lassen	*niemandem seine Absichten oder Pläne mitteilen*	„Diana ist ein sehr kluges und nettes Mädchen. Und sie macht sich viele Gedanken über die Zukunft." – „Ja, aber sie lässt sich nicht in die Karten sehen. Oft überrascht sie Freunde und Verwandte mit den verrücktesten Ideen."
etwas auf dem **Kasten** haben *(ugs.)*	*intelligent sein; bestimmte Fähigkeiten besitzen*	Zwei Lehrer unterhalten sich: „Ich verstehe gar nicht, dass Ulrich nicht studieren will. Er hat doch ein tolles Abiturzeugnis." – „Ja, das ist sehr schade. Er hat wirklich etwas auf dem Kasten."
etwas in **Kauf** nehmen	*die negative Seite einer sonst guten Sache akzeptieren*	Mutter zu ihren Kindern: „Euer Opa hatte kein leichtes Leben. Um seine Ziele zu erreichen, hat er oft viele Schwierigkeiten in Kauf genommen."
den **Kopf** in den Sand stecken *(ugs.)*	*der Realität ausweichen; eine Gefahr nicht sehen wollen*	„Hast du dich schon um eine neue Arbeit gekümmert?" – „Nein, das hat doch noch Zeit." – „Du weißt, Ende des Jahres schließt die Firma. Aber du steckst den Kopf in den Sand, wie immer bei Problemen."
mit dem **Kopf** durch die Wand wollen *(ugs.)*	*etwas tun (durchsetzen) wollen, was schwierig oder unmöglich ist*	„Sag mal, Papa, wie war denn das, als du und Mama geheiratet habt?" – „Das war nicht so einfach, unsere Familien waren dagegen. Aber zum Glück ist deine Mutter eine Frau, die mit dem Kopf durch die Wand will. Und so haben wir einfach heimlich geheiratet."
nicht auf den **Kopf** gefallen sein *(ugs.)*	*intelligent / klug sein*	„Na, wie klappt es mit deinem Architekturstudium?" – „Ganz gut, aber ich habe ein wenig Angst wegen Mathe. Das war nie meine Stärke." – „Ach, das schaffst du schon. Du bist doch nicht auf den Kopf gefallen."
über **Leichen** gehen *(ugs.)*	*völlig rücksichtslos sein; keine Skrupel haben*	„Unser neuer Chef ist noch jung und möchte möglichst schnell eine noch höhere Position haben. Um sein Ziel zu erreichen, geht er über Leichen."

1 **Was bedeutet die Redewendung? Kreuzen Sie an.**

1. auf allen Hochzeiten tanzen

☐ sehr oft heiraten ☐ Hochzeitsfeste lieben ☒ überall dabei sein wollen

2. über Leichen gehen

☐ auf dem Friedhof spazieren gehen ☐ keine Skrupel haben ☐ um die Toten weinen

3. etwas auf dem Kasten haben

☐ alles in einen Kasten packen ☐ einen Kasten Bier kaufen ☐ sehr intelligent sein

4. den Kopf in den Sand stecken

☐ eine Gefahr nicht erkennen wollen ☐ sich mit Sand bedecken ☐ am Strand einen Hut tragen

5. mit dem Kopf durch die Wand wollen

☐ einen harten Kopf haben ☐ etwas mit Gewalt durchsetzen wollen ☐ ein Loch durch die Wand bohren

2 **Sagen Sie es mit einer Redewendung. Bilden Sie vollständige Sätze.**

1. Herr Richter war immer **anständig und hilfsbereit**.

Herr Richter hatte das Herz immer auf …

2. Unsere Tochter war schon als kleines Kind **sehr intelligent**.

3. Mein Bruder ist in der Schule sehr schlecht. Da ist **jede Bemühung umsonst**.

4. Tante Inge **teilt uns nie ihre Pläne mit**.

3 **Welche Redewendung passt? Ergänzen Sie in der richtigen Form.**

das Herz auf dem rechten Fleck haben ● etwas in Kauf nehmen ● nicht auf den Kopf gefallen sein
● sich nicht in die Karten sehen lassen ● etwas auf dem Kasten haben ● mit dem Kopf durch die Wand wollen

Lena und Julian Gellner waren zwei anständige junge Menschen, die gern anderen halfen. Sie _____ _____. Außerdem haben sie beide ihr Studium mit Auszeichnung abgeschlossen. Man kann sagen: Sie _____. So war es kein Wunder, dass auch ihr Sohn Max _____. Mit anderthalb Jahren konnte er schon gut sprechen und mit fünf wurde er eingeschult. In seiner Freizeit spielte er Klavier und lernte Fremdsprachen. Er war sehr fleißig und lieb. Er versuchte auch nie, etwas mit Gewalt durchzusetzen. Nie _____. Die Eltern waren sehr zufrieden mit ihrem Sohn. Das einzige Problem war: Max war sehr ruhig und schweigsam. Nicht einmal seinen Eltern erzählte er von seinen Plänen oder Ideen. Er _____. Da er klug und nett war, waren seine Eltern aber bereit, seine Verschwiegenheit _____. Nach der Schule studierte er Musik und wurde ein berühmter Pianist.

sein **Licht** unter den Scheffel stellen (geh.)	*seine Fähigkeiten und seine Leistungen aus Bescheidenheit verbergen*	„Ich habe erst jetzt durch Zufall erfahren, dass Herr Bauer eine große Abteilung in einem Krankenhaus leitet." – „Das ist typisch für ihn. Er ist sehr bescheiden und stellt sein Licht gern unter den Scheffel."
jemand geht in die **Luft** (ugs.)	*jemand wird sehr schnell wütend*	Sandra bekommt Besuch von ihrer Freundin: „Was ist denn mit deiner Mutter los? Sie sieht so wütend aus." – „Ach, ich habe sie gefragt, ob sie mir 20 Euro leihen kann. Wie immer ist sie gleich in die Luft gegangen."
seinen **Mantel** (sein Mäntelchen) nach dem Wind drehen / hängen (ugs.)	*seine Meinung immer wieder ändern, um einen Vorteil zu haben*	„Gestern habe ich mit Frau Wagner gesprochen und sie war auch der Meinung, dass die neuen Stehlampen zu teuer sind. Heute hat sie gehört, dass die Chefin nicht dieser Meinung ist. Und sofort dreht sie ihren Mantel nach dem Wind und sagt nun, dass die Lampen nicht zu teuer sind."
auf / hinter dem **Mond** leben (ugs.)	*ohne ausreichende Informationen über die Umgebung leben; in seine eigene Welt vertieft sein*	„Warum sagen alle, ich würde auf dem Mond leben?" – „Weil du dich nie darüber informierst, was um dich herum passiert. Du weißt zum Beispiel nicht, dass ..."

den **Mund** voll nehmen (ugs.)	*angeben, prahlen*	„Sebastian ist ein Angeber. Neulich hat er behauptet, dass er sich nächstes Jahr ein Haus und ein Auto kaufen wird." – „Ja, er nimmt den Mund manchmal ganz schön voll. Mir wäre das peinlich."
ein freches / loses **Mundwerk** haben (ugs.)	*frech, vorlaut sein*	„Wie versteht sich Martina denn mit ihrer Cousine?" – „Nicht so besonders. Diese Alexa hat aber auch ein freches Mundwerk."
seine **Nase** in etwas stecken (ugs.)	*sehr neugierig sein; sich einmischen*	„Meine Schwiegermutter will alles wissen und erteilt uns immer gute Ratschläge, ob wir sie hören wollen oder nicht." – „Ich würde ihr sagen, dass sie ihre Nase nicht in euer Leben stecken soll."
die **Nase** hoch tragen (ugs.)	*arrogant oder eingebildet sein*	„Wer ist denn die Frau in dem grünen Mantel?" – „Das ist meine neue Nachbarin." – „Warum grüßt ihr euch dann nicht?" – „Sie trägt die Nase ziemlich hoch. Ich habe am Anfang versucht, mit ihr Kontakt aufzunehmen, aber Frau Schulze ist daran wohl nicht interessiert."
auf den **Putz** hauen (ugs.)	*angeben, prahlen, übertreiben; sehr laut und fröhlich feiern*	„Ich habe in zwei Monaten zehn Kilo abgenommen!" – „Ach, Barbara, ich glaube, du haust mal wieder auf den Putz." – „Zugegeben, es waren nur zehn Pfund. Aber ist doch toll, oder?"

1 Was meint das Gleiche? Verbinden Sie.

1 Nimm den Mund nicht so voll!

2 Steck deine Nase nicht überall hinein!

3 Häng deinen Mantel nicht nach dem Wind!

4 Trag die Nase nicht so hoch!

5 Stell dein Licht nicht unter den Scheffel!

6 Geh nicht immer gleich in die Luft!

A Pass dich nicht wegen persönlicher Vorteile an!

B Sei nicht so neugierig!

C Sei nicht zu bescheiden!

D Gib nicht so an!

E Verlier nicht so schnell die Geduld!

F Sei nicht so arrogant!

2 Kreuzen Sie die passende Präposition an.

a) 65 über   71 für   52 auf   den Putz hauen

b) sein Licht   80 neben   49 über   11 unter   den Scheffel stellen

c) 52 in   50 auf   51 unter   dem Mond leben

d) den Mantel   35 zu   34 nach   87 aus   dem Wind hängen

e) schnell   24 in   16 an   60 unter   die Luft gehen

Haben Sie alles richtig? a) ☐ + b) ☐ + c) ☐ – d) ☐ + e) ☐ = 103

3 Wie sagt man es mit einer Redewendung? Ergänzen Sie in der richtigen Form.

1. Wer sich wegen des persönlichen Vorteils anpasst, der _hängt den Mantel ..._____.

2. Wer frech redet, der _____.

3. Wer sich nicht ausreichend über seine Umgebung informiert, der _____.

4. Wer aus Bescheidenheit seine Fähigkeiten nicht erwähnt, der _____.

5. Wer angibt und prahlt, der _____.

4 Ergänzen Sie.

1. „Kennst du Michaels Schwester?" – „Ja, aber ich

   mag sie nicht, sie redet immer so frech über andere." –

   „Ja stimmt, sie hat wirklich ein freches _____."

2. „Hör doch auf zu prahlen! Warum musst du

   immer so auf den _____ hauen?"

3. „Meine Nachbarin ist sehr neugierig. Sie steckt

   ihre _____ überall hinein."

4. „Seit sich mein Sohn verliebt hat, lebt er auf dem

   _____. Ihn interessiert nichts außer seiner Freundin!"

Lösungswort: Wer viele Redewendungen aktiv beherrscht, der ist nicht auf den _____ gefallen!

auf dem hohen **Ross** sitzen *(ugs.)*	*eingebildet, überheblich sein; sich für etwas Besseres halten*	„Mein neuer Kollege hält sich für etwas Besseres. Immer gibt er uns gute Ratschläge." – „Ja, Birgit hat mir auch schon erzählt, dass er auf dem hohen Ross sitzt."
reden, wie einem der **Schnabel** gewachsen ist *(ugs.)*	*das sagen, was einem gerade einfällt; ganz natürlich reden*	„Karin redet wie ihr der Schnabel gewachsen ist. Das gefällt mir. Bei ihr hat man das Gefühl, dass sie immer ehrlich ist."
etwas auf die leichte **Schulter** nehmen *(ugs.)*	*eine Sache nicht ernst genug nehmen*	„Du hustest nun schon seit vier Wochen!" – „Es wird sicher bald besser werden." – „Na, du nimmst deine Gesundheit ja immer auf die leichte Schulter. Das ist ein großer Fehler von dir."
den inneren **Schweinehund** überwinden *(sal.)*	*sich mehr als gewöhnlich anstrengen; das tun, was man tun sollte*	Unter Schülern: „Wie schaffst du das bloß, dass du schon nachmittags mit deinen Hausaufgaben fertig bist?" – „Ich mache die Aufgaben jetzt immer gleich nach der Schule. Und danach habe ich Freizeit. Du musst nur den inneren Schweinehund überwinden."
seinen **Senf** dazugeben *(ugs.)*	*ungefragt zu allem seine Meinung sagen*	„Was ist los zwischen Tobias und dir?" – „Tobias nervt. Keiner will seine Meinung hören, aber immer muss er seinen Senf dazugeben. Seit ich ihm das gesagt habe, spricht er nicht mehr mit mir."
ein **Spaßvogel** sein *(ugs.)*	*ein witziger oder lustiger Mensch sein*	„Hast du Jochen zu deiner Party eingeladen?" – „Ja, warum fragst du?" – „Ich freue mich, dass er kommt. Er ist ein Spaßvogel, erzählt gern Witze und ist lustig."
in den **Tag** hinein leben	*sich keine Sorgen um die Zukunft machen*	„Wie geht es denn deinem Bruder? Wird er nach seiner Ausbildung von der Firma übernommen?" – „Nein, aber er lebt trotzdem in den Tag hinein. So ist er eben."
mit allen **Wassern** gewaschen sein *(ugs.)*	*sehr schlau sein; alle Tricks kennen*	„Hast du schon gehört, Eva hat zusammen mit Peter ein kleines Café aufgemacht?" – „Nein, das ist ja toll! Aber sie soll aufpassen, dass sie keine Nachteile hat. Peter ist mit allen Wassern gewaschen."
glauben, dass man die **Weisheit** mit Löffeln gefressen hat *(ugs.)*	*sich selbst für besonders intelligent halten*	Die Mutter zum Sohn: „Warum widersprichst du mir immer? Glaubst du, dass du die Weisheit mit Löffeln gefressen hast?"
ohne mit der **Wimper** zu zucken *(ugs.)*	*ohne Bedenken und Gefühle; ohne Gefühle zu zeigen, kaltblütig*	„Anna und Bernhard lassen sich scheiden." – „Was? Sie haben doch drei Kinder!" – „Er ist ohne mit der Wimper zu zucken zu einer anderen Frau gezogen." – „Na ja, ich habe ihn schon immer für gefühllos gehalten."

1 Welches Substantiv passt?

1. reden, wie einem der _Schnabel_ gewachsen ist

2. ohne mit der _____ zu zucken

3. seinen _____ dazugeben

4. in den _____ hinein leben

Schnabel • Mund • Bauch • Fuß
Schulter • Hand • Wimper • Nase
Senf • Ketchup • Wein • Essig
Morgen • Monat • Tag • Mittag

2 Suchen Sie das passende Wort.

1. „Petra, du musst mehr für Chemie lernen." –

   „Ach, Mama, das Fach ist doch nicht so wichtig." –

   „Trotzdem solltest du es nicht auf die

   _____ _leichte_ _____ Schulter nehmen."

2. „Ines weiß alles besser. Sie glaubt wohl, die

   Weisheit mit Löffeln _____ zu haben!"

3. „Junge, was ist los? Mit uns, mit deinen Eltern, kannst du doch

   reden, wie dir der Schnabel _____ ist."

4. „Früher war ich sehr unsportlich. Aber dann habe ich

   meinen _____ Schweinehund überwunden

   und jetzt trainiere ich jeden Tag."

5. „Vorsicht, er ist mit allen Wassern _____ !"

L	O	R	T	S	I	N	N	E	R	E	N
S	E	H	R	T	U	F	D	H	Y	U	G
T	H	E	K	Y	B	U	E	F	M	B	E
I	G	E	F	R	E	S	S	E	N	U	W
V	O	S	Z	R	I	T	T	P	A	C	A
U	S	T	K	L	L	H	S	R	Q	O	S
M	I	L	N	I	C	K	W	A	I	N	C
A	Z	V	C	I	P	M	R	X	A	E	H
L	T	G	E	W	A	C	H	S	E	N	E
E	S	L	L	O	W	N	F	W	R	A	N
R	A	F	P	S	I	K	O	O	Q	U	G
N	R	S	G	A	P	F	L	M	E	T	M

3 Welche Redewendung meint das Gleiche?

1 Uwe hält sich für etwas Besseres.

2 Peter kennt alle Tricks.

3 Kollege Maier ist ein witziger Mensch.

4 Sandra hält sich selbst für besonders schlau.

5 Leon sagt ohne Hemmungen, was er denkt.

6 Die Schülerin nimmt etwas nicht ernst genug.

A etwas auf die leichte Schulter nehmen

B auf dem hohen Ross sitzen

C reden, wie einem der Schnabel gewachsen ist

D ein Spaßvogel sein

E mit allen Wassern gewaschen sein

F glauben, dass man die Weisheit mit Löffeln gefressen hat

4 Formulieren Sie die Sätze aus Aufgabe 3 mit der passenden Redewendung.

1. _____

2. _____

3. _____

4. _____

5. _____

6. _____

sich in **Acht** nehmen	*aufpassen; vorsichtig sein*	„Bei der Hausarbeit nimm dich besonders in Acht! Im Haushalt passieren viele schlimme Unfälle."
im **Argen** liegen	*noch nicht ganz in Ordnung sein; noch nicht so sein, wie es sein sollte*	Mutter: „Macht ihr nun eure Klassenfahrt im Frühjahr?" Tochter: „Keine Ahnung, mit der Organisation liegt einiges noch im Argen. Es ist noch nicht klar wohin und auch nicht womit wir fahren."
etwas aus dem **Ärmel** schütteln *(ugs.)*	*etwas ohne große Mühe oder Anstrengung schaffen*	Unter Freunden: „Denkst du, wir schaffen es, die ganze Wohnung am Wochenende zu renovieren?" – „Bist du verrückt? Ich bin zwar Maler von Beruf, aber aus dem Ärmel schütteln kann ich es auch nicht."
unter vier **Augen** *(ugs.)*	*zu zweit; ohne Zeugen*	Telefonat zwischen einem Studienberater und dem Studenten Miguel: „Könnten Sie morgen zu mir ins Auslandsamt kommen? Ich möchte mit Ihnen etwas unter vier Augen besprechen." – „Ja, gern. Gibt es Probleme?" – „Nein, nein, es geht um Ihren Antrag auf ein Stipendium."
jemandes **Augen** sind größer als der Magen	*jemand nimmt sich viel mehr zum Essen, als er essen kann*	„Das Essen schmeckt ganz toll, aber jetzt kann ich nicht mehr. Ich habe mir zu viel auf meinen Teller getan." – „Ja, da waren deine Augen größer als der Magen."
wieder auf die **Beine** kommen *(ugs.)*	*gesund werden; sich finanziell erholen*	„Zum Glück ist unsere nette Nachbarin nach ihrem Herzinfarkt wieder auf die Beine gekommen. Alle rechneten schon mit dem Schlimmsten."
die **Beine** in die Hand / unter den Arm nehmen *(ugs.)*	*ganz schnell weglaufen; sich beeilen*	Unter Freundinnen: „Gestern in der Disko wollte ein unsympathischer Typ ständig mit mir tanzen." – „Und was hast du gemacht?" – „Ich habe die Beine in die Hand genommen. Um elf war ich schon zu Hause."
über alle **Berge** sein *(ugs.)*	*geflüchtet sein; weit weg sein*	Zeitungsbericht: „Freitagnachmittag haben maskierte Unbekannte einen Juwelierladen im Stadtzentrum überfallen. Als die Polizei kam, waren sie leider schon über alle Berge."
den **Bock** zum Gärtner machen *(sal.)*	*jemandem eine Aufgabe geben, für die er ungeeignet ist*	„In unserer Wohngemeinschaft ist Sebastian für das Putzen zuständig." – „Na, da habt ihr ja den Bock zum Gärtner gemacht, denn sein Zimmer ist immer das unordentlichste."
Däumchen drehen *(ugs.)*	*sich langweilen; nichts zu tun haben*	Unter Nachbarn: „Was macht ihr im Sommer, wenn ihr nicht wegfahrt?" – „Däumchen drehen bestimmt nicht. Im Haus und im Garten ist genug zu tun."

1 Was passt zusammen? Kombinieren Sie.

1. den Bock	in die Hand	schütteln
2. sich in	die Beine	als der Magen
3. wieder auf	Ärmel	kommen
4. jemandes Augen	zum Gärtner	nehmen
5. die Beine	sind größer	machen
6. etwas aus dem	Acht	nehmen

2 Kreuzen Sie die richtige Präposition an.

1. wieder ☐ in ☒ auf ☐ an   die Beine kommen
2. etwas ☐ nach ☐ mit ☐ aus   dem Ärmel schütteln
3. die Beine ☐ in ☐ auf ☐ vor   die Hand nehmen
4. ☐ auf ☐ über ☐ unter   alle Berge sein
5. sich ☐ mit ☐ über ☐ in   Acht nehmen

3 Was meint das Gleiche? Verbinden Sie.

1 Unsere Kinder wollen meist mehr haben
  als sie essen können.

2 Zehn Minuten nach dem Überfall waren
  die Einbrecher weit weg.

3 Der neue Leiter ist für diese Aufgabe ungeeignet.

4 Mein Bruder hat seine Prüfung ohne Mühe geschafft.

5 Die Firma hat sich finanziell wieder erholt.

A Sie ist zum Glück wieder auf die
  Beine gekommen.

B Er hat sie aus dem Ärmel geschüttelt.

C Sie waren schon über alle Berge.

D Da hat man den Bock zum Gärtner
  gemacht.

E Ihre Augen sind oft größer als ihr Magen.

4 Sagen Sie es mit einer Redewendung.

1. Der finanzielle Teil unseres Projekts **ist noch nicht ganz in Ordnung**.

_____

2. Der Chef möchte mit ihr **allein, ohne Zeugen** sprechen.

_____

3. Sein Vater war im Krankenhaus, aber nach einer Woche **war er wieder gesund**.

_____

4. Experte zu sein, bedeutet nicht, dass man alles **ohne Mühen schaffen kann**.

_____

5. Wenn man zu Hause arbeitet, denken viele, dass man **sich oft langweilt oder nichts zu tun hat**.

_____

jemandem fällt die **Decke** auf den Kopf *(ugs.)*	*es zu Hause nicht mehr aushalten; Abwechslung brauchen*	Diana: „Seit Tagen sind wir nur in unserer Wohnung und lernen für die Prüfung. Mir fällt schon die Decke auf den Kopf." Tobias: „Ja, du hast recht. Komm, wir machen einen Spaziergang und vielleicht gehen wir noch ins Kino."
jemandem ein **Dorn** im Auge sein	*jemanden sehr stören; jemanden ärgern*	„Morgen kommt der Elektriker." – „Das wird aber auch Zeit! Der kaputte Fernseher ist mir ein Dorn im Auge."
ein **Eigentor** schießen *(ugs.)*	*sich selbst schaden*	„Auf der Mieterversammlung habe ich ein Eigentor geschossen." – „Warum?" – „Ich habe vorgeschlagen, dass sich jemand um die Reinigung der Garagen kümmern soll. Und nun bin ich dafür verantwortlich."
Eulen nach Athen tragen	*etwas Sinnloses oder Überflüssiges tun*	„Soll ich für das Fest bei Familie Reuter einen Kuchen backen?" – „Nein, das hieße Eulen nach Athen tragen. Die Eltern von Frau Reuter haben eine Bäckerei."
auf eigene **Faust**	*ohne fremde Hilfe; aus eigener Initiative*	„Wenn unsere Eltern nächstes Wochenende mit dem Zug nach München fahren, können wir auf eigene Faust das Auto innen und außen putzen." – „Gute Idee! Da freuen sie sich bestimmt."
Feuer und Flamme sein *(ugs.)*	*von jemandem oder etwas sehr begeistert sein*	„Ich habe Julian und Wolfgang für nächsten Samstag eingeladen. Da kommt im Fernsehen die Schlussfeier der Olympiade." – „Wollen sie das auch anschauen?" – „Ja, sie waren sofort Feuer und Flamme."
sich die **Finger** nach etwas lecken *(ugs.)*	*auf etwas begierig sein*	„Nach fünf Jahren harter Arbeit wird Herr Altmann Abteilungsleiter. Das ist genau die Stelle, nach der er sich immer die Finger geleckt hat."
(festen) **Fuß** fassen	*sich nach einer gewissen Zeit an eine neue Umgebung gewöhnen*	„Ist Cornelia nach dem Studium nach El Salvador gegangen?" – „Ja, und sie arbeitet dort immer noch als Entwicklungshelferin. Am Anfang war alles sehr schwierig für sie: anderes Klima, andere Bräuche, andere Sitten. Aber nach einem halben Jahr hatte sie schon Fuß gefasst."
das ist **gehupft** wie gesprungen *(sal.)*	*das ist dasselbe*	„Soll ich morgen um zwölf auf den Markt gehen oder erst um eins?" – „Das ist gehupft wie gesprungen. Um die Mittagszeit kaufen viele Leute dort ein, und es dauert alles ziemlich lange."
das **Gesicht** verlieren	*durch sein Verhalten Ansehen und Respekt verlieren*	„Dieser Politiker sollte mit seinen Äußerungen und Handlungen vorsichtiger sein, sonst ist die Gefahr sehr groß, dass er sein Gesicht verliert."

1 **Ergänzen Sie die Sätze. Drei Substantive bleiben übrig.**

~~Gesicht~~ ● Hand ● Dorn ● Wand ● Faust ● Decke ● Kopf ● Fuß

1. Frau Haller hat mit ihrer Nachbarin im Treppenhaus einen lauten Streit angefangen. Sie hat sich unmöglich verhalten und dabei ihr _____*Gesicht*_____ verloren.

2. Ich muss unbedingt raus. Zu Hause habe ich das Gefühl, die _____ fällt mir auf den Kopf.

3. Wegen seiner kritischen Artikel war der junge Journalist vielen ein _____ im Auge.

4. Familie Meier ist von München nach Hamburg umgezogen. Am Anfang war es nicht leicht, aber inzwischen haben sie dort festen _____ gefasst.

5. Wir sammeln Kleidung für ein Kinderheim. Das machen wir auf eigene _____.

2 **Was bedeutet die Redewendung? Kreuzen Sie an.**

1. ein Eigentor schießen

☐ schlecht Fußball spielen ☐ sich etwas Gutes tun ☒ sich selbst schaden

2. Eulen nach Athen tragen

☐ Vögel lieben ☐ etwas Überflüssiges tun ☐ als Gepäckträger arbeiten

3. das ist gehupft wie gesprungen

☐ das ist dasselbe ☐ man ist ein guter Springer ☐ das ist ganz anders

4. Feuer und Flamme sein

☐ mir ist immer heiß ☐ man sitzt gern am Feuer ☐ von etwas sehr begeistert sein

5. festen Fuß fassen

☐ große Füße haben ☐ sich zurechtfinden ☐ gern barfuß laufen

3 **Welche Wörter sind versteckt? Notieren Sie.**

1. „Du willst einen Ventilator im Winter kaufen? Das wäre ja, als würde man
_____*Eulen*_____ nach Athen tragen."

2. „Ins Theater gehen? Ja, da bin ich gleich _____ und Flamme."

3. „Lass uns Freunde besuchen! Mir fällt die _____ auf den Kopf."

4. „Nach so einer Wohnung habe ich mir immer die _____ geleckt."

5. „Wir sind froh, dass das Lokal in unserem Haus geschlossen hat. Dieser Krach war uns ein _____ im Auge."

B	E	L	M	S	A	Y	P	H	B
I	D	P	G	E	J	R	Z	I	H
K	E	D	T	A	S	D	O	R	N
G	C	L	E	M	I	L	O	D	E
M	K	I	L	R	R	X	A	I	K
D	E	C	A	E	F	N	H	E	A
S	J	Z	U	V	E	R	G	U	F
U	L	E	L	Z	E	O	U	L	K
T	F	R	A	F	I	N	G	E	R
E	H	L	O	K	F	Y	A	N	I

4 **Welche Redewendung passt? Ergänzen Sie in der richtigen Form.**

1. Wenn man etwas ohne fremde Hilfe gemacht hat, hat man es _____.

2. Wenn man jemanden sehr stört, ist man ihm _____.

3. Wenn man sich selbst geschadet hat, hat man _____.

4. Wenn man von etwas sehr begeistert ist, ist man _____.

Gift und Galle spucken *(sal.)*	*sehr wütend sein*	„Gestern haben wir mit Freunden in unserem Garten gegrillt. Leider hat sich unsere Nachbarin gleich wieder laut beschwert und Gift und Galle gespuckt." – „Vielleicht solltest du sie das nächste Mal auch einladen?"
ins **Gras** beißen *(sal.)*	*sterben*	„Jens, hast du gestern Abend im Fernsehen den Krimi gesehen?" – „Ja, warum?" – „Ich hatte leider keine Zeit. War er gut?" – „Es geht. Der Täter hat vielen Leuten das Leben schwer gemacht, aber am Ende musste er ins Gras beißen."
über etwas **Gras** wachsen lassen *(ugs.)*	*warten, bis eine unangenehme Sache vergessen wird*	„Was ist denn mit Frau Müller? Ich habe sie lange nicht mehr gesehen." – „Sie hat im Kaufhaus Uhren und Schmuck gestohlen, und der Detektiv hat sie erwischt. Jetzt ist sie bei ihrer Tochter in Hamburg." – „Ach, und dort will sie Gras über die Sache wachsen lassen."
etwas in den **Griff** bekommen *(ugs.)*	*etwas unter Kontrolle bringen; etwas meistern*	„Wie hast du nach deiner Heirat eigentlich alles in den Griff bekommen? Beruf, Haushalt und …" – „Ich habe mir einen genauen Zeitplan gemacht, und so funktioniert es ganz gut."
um ein **Haar** *(ugs.)*	*fast, beinah*	Frau Beck: „Du kommst heute aber spät nach Hause! Was war denn los?" Herr Beck: „Ich hätte um ein Haar eine alte Frau überfahren, aber das war nicht meine Schuld. Sie ist bei Rot über die Straße gegangen. Vor Schreck ist sie hingefallen und ich musste warten, bis der Krankenwagen kam. Zum Glück ist nichts passiert."
etwas an den **Haaren** herbeiziehen *(ugs.)*	*Argumente bringen, die nicht zu einer bestimmten Sache gehören*	„Ich habe keine Lust mehr, mit dir über dieses Problem zu reden. Deine Argumente sind doch fast alle an den Haaren herbeigezogen."
einen **Haken** haben *(ugs.)*	*einen Nachteil haben*	„Schau mal hier, das ist ein tolles Angebot. Spanien: Drei Wochen, Hotel mit Vollpension und Flug für einen sehr günstigen Preis." – „Ja, aber lies mal, die Sache hat einen Haken: Zum Strand muss man 20 Minuten zu Fuß laufen."
aus dem **Häuschen** sein *(ugs.)*	*ganz aufgeregt (vor Freude) sein*	„Heute können wir unser neues Auto abholen. Ich bin schon ganz aus dem Häuschen!"
etwas nicht übers **Herz** bringen	*etwas (aus Mitleid) nicht tun können*	„In unserer neuen Wohnung sind keine Haustiere erlaubt." – „Und was macht ihr dann mit eurem Hund? Bringt ihr ihn ins Tierheim?" – „Nein, das bringen wir nicht übers Herz. Wir suchen jemanden, der ein Haus mit Garten hat."

1 Lösen Sie das Kreuzworträtsel.

waagerecht:

1. Das Thema „Wohnung putzen" bekommen wir schnell in den _____.

2. An ihrem Geburtstag ist Ulla ganz aus dem _____.

3. Sonderangebote haben oft einen _____.

senkrecht:

1. Die böse Hexe im Märchen beißt am Ende selbst ins _____.

2. Um ein _____ hätte er seine Brieftasche vergessen.

3. Sie brachte es lange nicht übers _____, ihren Mann zu verlassen.

2 Sagen Sie es mit einer Redewendung.

Regine Neumann, eine junge moderne Frau, arbeitete in einer Firma als Netzwerkverwalterin. In dieser Firma funktionierte alles per Computer. Alle Mitarbeiter hatten einen PC. Aber eines Morgens blieb alles einfach stehen. Nichts funktionierte. Man brauchte dringend jemanden, der **mit diesem Problem schnell fertig werden konnte** / _____. Frau Neumann versprach, eine Lösung zu finden. Doch es wurde nur schlimmer. Denn plötzlich gab es eine kleine Explosion und der ganze Computerraum hätte **beinah** / _____ Feuer gefangen. Von der Explosion alarmiert, betrat der Chef den Raum. Er war ganz rot im Gesicht und **schrie und schimpfte außer sich vor Wut** / _____. Ohne zu wissen, was genau passiert war, beschuldigte er sofort Frau Neumann. Sie wehrte sich und sagte ihm, seine Argumente **gehörten gar nicht zur Sache** / _____. Am Ende stellte sich heraus, dass eine andere Firma die Elektrik falsch installiert hatte. Der Chef machte drei Wochen Urlaub. Er wollte während seiner Abwesenheit **das unangenehme Ereignis vergessen lassen** /_____.

jemanden aufs **Kreuz** legen (sal.)	*jemanden betrügen; jemanden mit Tricks hereinlegen*	„Ich war gestern auf dem Flohmarkt. Ich wollte mir ein altes Radio kaufen." – „Hat es geklappt?" – „Na, zuerst hat der Verkäufer versucht, mich aufs Kreuz zu legen. Das Radio hat nicht richtig funktioniert, und der Preis war viel zu hoch." – „Was hast du dann gemacht?" – „Ich habe es gekauft, aber für den halben Preis."
alles / etwas **kurz** und klein schlagen (ugs.)	*(aus Wut) alles zerstören; alles kaputt machen*	„Wieso war denn gestern ein Polizeiauto vor eurem Haus?" – „Der Mieter aus dem Erdgeschoss hat aus Wut in seiner Wohnung alles kurz und klein geschlagen. Und seine Frau hat die Polizei gerufen."
den **Kürzeren** ziehen (ugs.)	*eine Niederlage erleiden*	„Unsere Nachbarn machen jeden Abend sehr viel Lärm. Ich werde mal mit ihnen reden." – „Das habe ich auch schon versucht, aber dabei habe ich den Kürzeren gezogen. Sie haben behauptet, dass sie die Ruhezeiten einhalten."
jemandem durch die **Lappen** gehen (ugs.)	*jemandem entgeht, entkommt jemand oder etwas*	„Wie hat dir das Buch gefallen, das Andrea dir geliehen hat?" – „Es war sehr spannend. Immer wieder war der Detektiv dem Verbrecher auf der Spur, aber jedes Mal ist er ihm durch die Lappen gegangen."
jemandem auf den **Leib** rücken (sal.)	*jemanden bedrängen oder Druck auf ihn ausüben*	„Ich bin froh, dass meine Kollegin gerade im Urlaub ist." – „Warum denn?" – „Ach, jeden Tag rückt sie mir auf den Leib, dass ich mich auch zu einem Kurs in der Volkshochschule anmelden soll."
jemandem geht ein **Licht** auf (ugs.)	*jemand versteht plötzlich etwas, das er vorher nicht verstanden hat*	„Weißt du endlich, wie dein neues Computerprogramm funktioniert?" – „Ja, mir ist ein Licht aufgegangen."
etwas liegt jemandem (schwer) im **Magen** (ugs.)	*etwas bedrückt jemanden; etwas ist für jemanden ein Problem*	„Hast du deinen Führerschein schon?" – „Nein, ich habe in zwei Wochen meine theoretische Prüfung. Die liegt mir schwer im Magen."
Das **Maß** ist voll! (ugs.)	*Es ist genug! Es reicht jetzt! Auch: Meine Geduld ist nun zu Ende.*	Zwei Wochen später: „Papa, ich bin durch die Prüfung gefallen, aber jetzt habe ich kein Geld mehr für eine Nachprüfung." – „Mein lieber Sohn, nun ist das Maß voll! Du hast nie richtig dafür gelernt."
etwas **mitgehen** lassen (ugs.)	*etwas stehlen*	Im Kaufhaus: „Was ist denn da hinten los?" – „Der Kaufhausdetektiv hat einen jungen Mann ertappt, als er gerade eine CD mitgehen lassen wollte."
die **Nase** von etwas voll haben (sal.)	*zu etwas keine Lust mehr haben*	Zwei Freundinnen: „Wollen wir uns am Samstag wie immer mit Sandra und Rita in der Stadt treffen?" – „Ach, ich weiß nicht. Ich habe die Nase voll. Bei den beiden geht es immer nur um Mode und Kosmetik."

1   Was ist richtig? Kreuzen Sie an.

1. Das [X] Maß [ ] Glas [ ] Fass   ist voll!

2. jemandem schwer im [ ] Hals [ ] Bauch [ ] Magen   liegen

3. jemandem auf den [ ] Fuß [ ] Leib [ ] Kopf   rücken

4. etwas [ ] winzig [ ] kurz [ ] groß   und klein schlagen

5. die [ ] Nase [ ] Tasche [ ] Ohren   voll haben

6. jemandem geht ein [ ] Messer [ ] Licht [ ] Knopf   auf

2   Welche Redewendung meint das Gleiche?

[1] Sie hat in dem Laden einen Ring gestohlen.

[2] Sie war schnell und ist der Polizei entkommen.

[3] Aus Wut hat er die Möbel vollkommen zerstört.

[4] Sie mag den Kurs nicht mehr besuchen.

[5] Vor Gericht hat er leider verloren.

[6] Er hat seine Kunden immer wieder betrogen.

[A] etwas kurz und klein schlagen

[B] die Nase von etwas voll haben

[C] etwas mitgehen lassen

[D] den Kürzeren ziehen

[E] jemanden aufs Kreuz legen

[F] jemandem durch die Lappen gehen

3   Formulieren Sie die Sätze aus Aufgabe 2 mit der passenden Redewendung.

1. *Sie hat in dem Laden einen Ring ...* _____

2. _____

3. _____

4. _____

5. _____

6. _____

4   Sagen Sie es mit einer Redewendung.

1. „Dieses Kreuzworträtsel konnte ich lange nicht lösen. Mir fehlte ein Begriff zum Thema Klima.

   Aber als ich gestern Abend den Wetterbericht im Radio hörte, **hatte ich plötzlich die richtige Idee** /

   _____."

2. „Woher hast du den teuren MP3-Player? Den kannst du dir doch unmöglich von deinem Taschengeld gekauft

   haben! Hast du den etwa im Kaufhaus **gestohlen** / _____?"

3. „Jens hat mir sein Auto zum Kauf angeboten." – „Bei dem musst du vorsichtig sein. Der ist dafür bekannt,

   dass er andere **betrügt** / _____."

4. „Was ist denn mit deinem Nachbarn los? Seit Wochen sehe ich ihn nicht mehr lachen." – „Er hat seine Arbeit

   verloren und weiß nun nicht, wie er den Kredit für sein Haus abbezahlen soll. **Das bedrückt ihn sehr** /

   _____."

jemandem etwas vor der **Nase** wegschnappen *(ugs.)*	*etwas, das ein anderer auch gern hätte, v o r ihm kaufen oder nehmen*	„Endlich hatten wir uns entschieden und wollten das Haus kaufen, da hat es uns eine andere Familie vor der Nase weggeschnappt." – „So ein Pech! Aber sicher bekommt ihr bald wieder ein attraktives Angebot."
aus der **Not** eine Tugend machen	*aus einer unangenehmen Situation / Sache das Beste machen*	„Seit unser Fernseher kaputt ist, unterhalten wir uns abends wieder viel mehr miteinander." – „Na, so könnt ihr doch aus der Not eine Tugend machen."
Halt die **Ohren** steif! *(ugs.)*	*Viel Erfolg! Viel Glück!* Auch: *Verliere nicht den Mut!*	„Wann hast du denn deine Operation am Knie?" – „Am Mittwoch. Ich bin schon sehr nervös." – „Es wird sicher alles gut. Halt die Ohren steif und komm bald gesund nach Hause!"
jemandem aus der **Patsche** helfen *(ugs.)*	*jemandem helfen, aus einer schwierigen Situation zu kommen*	„Danke, dass ihr mir 50 € leiht. Damit helft ihr mir im Augenblick wirklich aus der Patsche." – „Das machen wir doch gerne."
Keine zehn **Pferde** bringen mich dahin! *(ugs.)*	*Das mache ich auf keinen Fall!*	„Sarah, du bist jetzt mit deinem Freund schon so lange zusammen. Habt ihr noch nie ans Heiraten gedacht?" – „Zum Standesamt? Dahin bringen mich keine zehn Pferde!"
wie **Pilze** aus dem Boden schießen	*innerhalb kurzer Zeit in großer Zahl entstehen*	„Hier hat sich ja einiges verändert! Als ich das letzte Mal hier war, sah man nur Wiesen und Felder." – „Ja, das ist noch gar nicht so lange her. Die neuen Häuser sind wie Pilze aus dem Boden geschossen."

an der **Quelle** sitzen	*gute Möglichkeiten haben, etwas zu bekommen*	Regina: „Marie ist immer nach der neuesten Mode gekleidet. Wie kann sie sich das denn leisten?" Karin: „Sie sitzt an der Quelle. Eine Freundin von ihr hat ein Modegeschäft und da bekommt sie Rabatt."
das fünfte **Rad** am Wagen sein *(ugs.)*	*(in einer Gruppe) überflüssig sein; stören*	„Wie war denn das Grillfest bei deinen Nachbarn?" – „Ach, ich habe mich wie das fünfte Rad am Wagen gefühlt. Ich kannte niemanden von den anderen Gästen."
vom **Regen** in die Traufe kommen *(ugs.)*	*von einer Schwierigkeit in eine andere, eventuell noch größere geraten*	„Hast du dein altes Auto nicht mehr?" – „Nein, das habe ich verkauft, weil es so oft kaputt war. Aber mit dem neuen Wagen bin ich vom Regen in die Traufe gekommen. Er muss jetzt schon zum zweiten Mal in die Werkstatt."
den richtigen **Riecher** für etwas haben *(ugs.)*	*im Voraus das richtige Gefühl für etwas haben; etwas ahnen, voraussehen*	„Bärbel sagt, Hanna und Leo sind ein Paar. Hast du davon schon gehört?" – „Nein, aber Bärbel hat für so etwas meistens den richtigen Riecher."

1 Was passt zusammen? Kombinieren Sie.

1. vom Regen	vor der Nase	helfen
2. wie Pilze	eine Tugend	haben
3. jemandem etwas	in die Traufe	machen
4. den richtigen Riecher	aus der Patsche	schießen
5. aus der Not	aus dem Boden	wegschnappen
6. jemandem	für etwas	kommen

2 Ergänzen Sie das passende Substantiv. Einige bleiben übrig.

> Nase ● Pferde ● Regen ● Tugend ● Ohren ● Nase ● Patsche
> ● Rad ● Riecher ● Not ● Pilze ● Quelle ● Boden

1. jemandem etwas vor der _____*Nase*_____ wegschnappen

2. Dahin bringen mich keine zehn _____!

3. Halt die _____ steif!

4. den richtigen _____ für etwas haben

5. aus der _____ eine _____ machen

6. an der _____ sitzen

3 Was meint das Gleiche? Verbinden Sie.

1	das fünfte Rad am Wagen sein	A	gute Möglichkeiten haben, etwas zu bekommen
2	vom Regen in die Traufe kommen	B	in kurzer Zeit in großer Menge entstehen
3	an der Quelle sitzen	C	das Richtige voraussehen
4	wie Pilze aus dem Boden schießen	D	überflüssig sein
5	den richtigen Riecher haben	E	etwas kurz vor einem anderen bekommen
6	jemandem etwas vor der Nase wegschnappen	F	von einer Schwierigkeit in eine andere geraten

4 Sagen Sie es mit einer Redewendung. Bilden Sie ganze Sätze.

1. Er hat mir geholfen, aus einer schwierigen Situation zu kommen.

_____

2. In der Hauptstadt sind innerhalb kurzer Zeit sehr viele Tankstellen entstanden.

_____

3. Mit dem Umzug sind wir von einer Schwierigkeit in die nächste geraten.

_____

4. Viel Erfolg! Verliere nicht den Mut!

_____

wie **Sand** am Meer *(ugs.)*	*in sehr großer Menge*	„Kannst du mir eine Kette leihen, die zu diesem Kleid passt?" – „Ja, klar. Ketten habe ich wie Sand am Meer. Schau mal, wie gefällt dir diese?"
sauer sein / werden *(ugs.)*	*verärgert oder beleidigt sein / werden*	„Was ist mit Julia los? Sie sieht so traurig aus." – „Sie ist sauer, weil ihr Freund an diesem Wochenende schon wieder keine Zeit für sie hat." – „Vielleicht sollte sie sich einen anderen suchen?"
etwas im **Schilde** führen *(ugs.)*	*eine bestimmte Absicht haben*	„Die zwei jungen Männer da unten auf der Straße beobachte ich jetzt schon eine ganze Weile." – „Warum denn?" – „Ich glaube, die führen etwas im Schilde."
jemandem auf die **Schliche** kommen *(ugs.)*	*jemandes (heimliche) Absichten oder Taten durchschauen*	„Endlich weiß ich, wer in meinem Garten immer die Äpfel stiehlt." – „Bist du jemandem auf die Schliche gekommen?" – „Ja, es sind zwei kleine Jungs aus der Nachbarschaft."
der letzte **Schrei** *(ugs.)*	*das Modernste, das Neueste, das Aktuellste*	„Bastian, wie siehst du denn aus? Dieser Gürtel passt überhaupt nicht zu deiner Hose. So kannst du auf keinen Fall aus dem Haus gehen." – „Ach, das verstehst du nicht. Das ist jetzt modern, das ist der letzte Schrei!"
schwarzsehen *(ugs.)*	*pessimistisch sein*	„Nächsten Monat müssen wir umziehen. Wir können uns die große Wohnung nicht mehr leisten." – „Ach, sieh nicht alles vorher schon schwarz. Bestimmt fühlt ihr euch in der neuen Wohnung auch bald wohl."
ins **Schwarze** treffen	*das Richtige tun; das Wesentliche sagen*	Ein Geburtstagsfest: „Vielen Dank für das Buch, das wollte ich mir selbst schon kaufen." – „Die Autorin wird ja gerade sehr gelobt. Ich hoffe, es gefällt dir." – „Ganz bestimmt. Du hast mit deinem Geschenk auf jeden Fall ins Schwarze getroffen."
kein **Sitzfleisch** haben *(ugs.)*	*nicht lange still sitzen können; keine Ausdauer haben*	Ober: „Möchten Sie noch ein Dessert? Darf ich Ihnen die Karte bringen?" Frau Huber: „Nein, vielen Dank. Ich möchte gerne bezahlen. Meine kleine Tochter hat heute leider kein Sitzfleisch."
den **Stein** ins Rollen bringen *(ugs.)*	*eine Sache beginnen; den Anstoß für etwas geben*	„Seine Beschreibung hat den Stein ins Rollen gebracht. Die Polizei konnte die beiden Täter gestern fassen."
jemandem fällt ein **Stein** vom Herzen *(ugs.)*	*jemand ist erleichtert*	„Hast du deinen schönen Ring wirklich verloren?" – „Nein, ich habe ihn zu Hause gefunden." – „Na, da ist dir sicher ein Stein vom Herzen gefallen."

1 **Was passt zusammen? Ordnen Sie zu.**

1 den Stein ins Rollen

2 jemandem auf die Schliche

3 etwas im Schilde

4 ins Schwarze

5 kein Sitzfleisch

6 sauer

A führen

B sein

C bringen

D haben

E treffen

F kommen

2 **Ergänzen Sie das passende Wort.**

1. das Modischste, das Aktuellste

= der letzte _____

2. nicht lange still sitzen können

= kein _____ haben

3. beleidigt sein

= _____ sein

4. eine bestimmte Absicht haben

= etwas im _____ führen

5. sehr viel, im Überfluss

= wie _____ am Meer

Lösungswort: Sie haben alles richtig? Toll, da fällt uns ein _____ vom Herzen!

3 **Welche Redewendung passt? Kreuzen Sie an.**

1. Unser Sohn ist seit Tagen unruhig. Weißt du, was er plant? Er scheint

☐ ins Schwarze zu treffen ☒ etwas im Schilde zu führen ☐ den Stein ins Rollen zu bringen.

2. Schade, dass wir dich nicht schon früher gefragt haben. Mit deiner Idee hast du genau

☐ schwarzgesehen ☐ kein Sitzfleisch gehabt ☐ ins Schwarze getroffen.

3. Annas Kleid gefällt mir nicht besonders, aber es ist

☐ der erste Schrei ☐ der letzte Schrei ☐ der lauteste Schrei!

4. Gestern haben wir uns endlich mit unseren Nachbarn getroffen und den Streit beendet. Da

☐ ist mir ein Stein vom Herzen gefallen ☐ sah ich schwarz ☐ kam ich ihnen auf die Schliche.

4 **Wie sagt man es mit einer Redewendung? Ergänzen Sie in der richtigen Form.**

1. Wenn jemand eine Sache beginnt, dann _____.

2. Wenn jemand etwas im Überfluss hat, dann _____.

3. Wenn jemand pessimistisch ist, dann _____.

4. Wenn jemand die Absichten eines anderen entdeckt, dann _____.

5. Wenn jemand beleidigt ist, dann _____.

jemandem einen **Strich** durch die Rechnung machen (ugs.)	die Pläne von jemandem durchkreuzen	„Eigentlich wollten wir im Sommer nach Portugal fliegen." – „Warum hat es nicht geklappt?" – „Im August hat uns das Hochwasser einen Strich durch die Rechnung gemacht. Unser Keller war ganz nass, und wir mussten uns darum kümmern."
sich zwischen zwei **Stühle** setzen	sich zwischen zwei Möglichkeiten nicht entscheiden können und deshalb beide verlieren	„Hast du endlich eine neue Wohnung gefunden?" – „Nein, leider nicht. Zwei Wohnungen haben mir gut gefallen, aber ich konnte mich nicht entscheiden. Und jetzt sind beide vermietet." – „Na, da hast du dich zwischen zwei Stühle gesetzt."
in **Teufels** Küche kommen (ugs.)	in große Schwierigkeiten kommen	Ehemann: „Guck mal, Schatz, was ich gekauft habe!" Ehefrau: „Einen neuen Laptop! Erst vor zwei Wochen hast du ein neues Auto gekauft. Wir haben bald kein Geld mehr und kommen noch in Teufels Küche."
Tomaten auf den Augen haben (ugs.)	etwas, das alle anderen sehen, nicht bemerken	„Stimmt es, dass Renate schwanger ist?" – „Ja, das sieht man doch. Du hast wohl Tomaten auf den Augen?"
mit der **Tür** ins Haus fallen (ugs.)	eine Sache (Problem, Bitte) sehr direkt / völlig ohne Vorbereitung ansprechen	„Meine Tochter ist immer für eine Überraschung gut." – „Was hat sie denn angestellt?" – „Nichts Schlimmes, aber gestern ist sie mal wieder mit der Tür ins Haus gefallen: Sie erzählte uns einfach so beim Abendessen, dass sie für ein halbes Jahr zum Studium in die Ukraine fliegt. Und zwar schon nächste Woche!"
jemandem läuft das **Wasser** im Mund zusammen (ugs.)	jemand bekommt großen Appetit auf ein Essen	Am Telefon: „Ich backe gleich einen Apfelkuchen. Willst du nicht heute Nachmittag vorbeikommen?" – „Ja, sehr gerne. Wenn ich nur daran denke, läuft mir das Wasser im Mund zusammen."
jemandem reinen **Wein** einschenken (ugs.)	jemandem die Wahrheit über etwas sagen	Unter Freunden: „Meine Firma läuft gar nicht gut. Ich glaube, ich muss bald Konkurs anmelden. Wie soll ich das meiner Frau sagen?" – „Schenk ihr reinen Wein ein, sie wird dir sicher helfen."
jemandem den **Wind** aus den Segeln nehmen (ugs.)	die Position eines anderen entscheidend schwächen	„Weil ihre Freundin Marie ein eigenes Auto hat, möchte meine Frau unbedingt auch eines. Aber ich habe ihr gesagt, dass Marie dafür keine so große Wohnung hat. Das hat ihr den Wind aus den Segeln genommen."
von etwas **Wind** bekommen (ugs.)	etwas erfahren, was eigentlich (noch) geheim bleiben sollte	„Warum habt ihr denn das Haus nicht gekauft?" – „Wir haben zum Glück rechtzeitig Wind davon bekommen, dass dort bald ein Flughafen gebaut wird."
die **Zähne** zusammenbeißen (ugs.)	etwas Unangenehmes oder Schmerzen ertragen; tapfer sein	„Letzten Winter war es sehr glatt, und ich habe mir auf dem Weg zum Supermarkt das Bein gebrochen." – „Ach je, das tut sicher sehr weh!" – „Ja, da musste ich die Zähne zusammenbeißen, bis der Krankenwagen endlich da war."

1 Was ist richtig? Kreuzen Sie an.

1. mit der ☐ Wand ☒ Tür ☐ Klinke   ins Haus fallen

2. jemandem reinen ☐ Wein ☐ Schnaps ☐ Saft   einschenken

3. ☐ Tomaten ☐ Gurken ☐ Äpfel   auf den Augen haben

4. sich zwischen zwei ☐ Sofas ☐ Sessel ☐ Stühle   setzen

5. in Teufels ☐ Keller ☐ Wohnung ☐ Küche   kommen

2 Welche Präposition passt? Drei bleiben übrig.

1. Tomaten _____auf_____ den Augen haben

2. _____ Teufels Küche kommen

3. _____ der Tür ins Haus fallen

4. jemandem den Wind _____ den Segeln nehmen

5. jemandem einen Strich _____ die Rechnung machen

6. sich _____ zwei Stühle setzen

> ~~auf~~ • aus • im
>
> • zwischen • durch • von
>
> • mit • in • über

3 Was meint das Gleiche? Es gibt immer zwei Möglichkeiten.

> • A jemandem einen Strich durch die Rechnung machen • C von etwas Wind bekommen
>
> • B jemandem läuft das Wasser im Mund zusammen • D die Zähne zusammenbeißen

1. von einer geheimen Sache erfahren _C_

2. die Vorhaben von jemandem durchkreuzen _____

3. etwas Unangenehmes tapfer ertragen _____

4. jemandes Pläne zum Scheitern bringen _____

5. Jemand bekommt großen Appetit auf etwas. _____

6. einen Schmerz ohne Klagen erdulden _____

7. Jemand möchte etwas Bestimmtes sehr gern essen. _____

8. von etwas hören, was geheim bleiben sollte _____

4 Formulieren Sie es mit Ihren Worten.

1. Mit deinen Lügen bringst du dich in Teufels Küche!

_____

2. Beim Anblick des Nachtischs lief Frank das Wasser im Mund zusammen.

_____

3. Nach langem Überlegen hat sie ihrem Freund reinen Wein eingeschenkt.

_____

4. Beiß die Zähne zusammen!

_____

5. Ich habe davon Wind bekommen, dass der Chef zum Jahresende geht.

_____

6. Gerd machte seinen Nachbarn einen Strich durch die Rechnung.

_____

(etwas) für einen **Apfel** und ein Ei (kaufen) (ugs.)	*(etwas) sehr billig (kaufen)*	„Hallo, Beate, du hast ja eine tolle Kette! Die war sicher sehr teuer?" – „Nein, gar nicht. Ich habe sie für einen Apfel und ein Ei in einem kleinen Geschäft gekauft."
arm wie eine Kirchenmaus sein (ugs.) 	*sehr arm sein*	Beim Klassentreffen: „Hast du was von Jörg gehört?" – „Nein, aber Dorothea hat mir erzählt, dass er seinen Betrieb schließen musste, und jetzt ist er arm wie eine Kirchenmaus." – „Das ist wirklich traurig, dass seine Firma den Bach runtergegangen ist." – „Ja, es ist kaum zu glauben." – „Aber es muss doch einen Grund dafür geben." – „Na, du weißt ja, dass Jörg immer gern sehr viel Geld ausgegeben hat." – „Ich erinnere mich. Für seine vielen Freundinnen und für seine Reisen rund um die Welt und …" – „Ja, und das hat ihn jetzt an den Bettelstab gebracht."
den **Bach** runtergehen (sal.)	*zugrunde gehen; bankrott werden*	
jemanden an den **Bettelstab** bringen	*jemanden finanziell ruinieren*	
etwas über **Bord** werfen (geh.)	*etwas ganz aufgeben*	„Hat Veronika eigentlich die gut bezahlte Stelle in der Computerfirma bekommen?" – „Nein, und inzwischen hat sie ihre sehr ehrgeizigen Pläne auch über Bord geworfen."
sich nach der **Decke** strecken müssen (ugs.)	*gezwungen sein, mit wenig Geld zu leben*	„Seit einem Vierteljahr habe ich eine eigene Wohnung, und jetzt brauche ich dringend ein Auto für meine Fahrt zur Firma. Das kostet alles viel Geld. Da muss ich mich nach der Decke strecken. Oder ich nehme einen Kredit auf." –
die **Finger** von etwas lassen (ugs.)	*etwas nicht tun (meist aus Angst oder Vorsicht)*	„Nein, lass lieber die Finger davon! Wovon willst du denn den Kredit und die hohen Zinsen zurückzahlen?"
lange **Finger** machen (ugs.)	*stehlen*	Manfred: „Hast du gehört, was Jens gemacht hat?" Jürgen: „Nein, was denn?" Manfred: „Er hat im Supermarkt lange Finger gemacht, er hat zwei Flaschen Cognac gestohlen."
auf großem **Fuß** leben (ugs.)	*in Luxus leben; viel Geld ausgeben*	„Seit meine Nachbarin im Lotto gewonnen hat, lebt sie auf großem Fuß. Sie hat neue Möbel gekauft, isst nur noch im Restaurant und zwei teure Kreuzfahrten hat sie auch schon gemacht." – „Na, dann ist das Geld bestimmt bald wieder weg."
sein **Geld** zum Fenster hinauswerfen (ugs.)	*Geld sinnlos ausgeben; sein Geld verschwenden*	„Wie war denn eure Hochzeitsreise?" – „Ganz toll! Wir haben uns allen Luxus geleistet. Wie schön ist es, sein Geld einmal zum Fenster hinauszuwerfen!"

1 Welches Substantiv passt? Ergänzen Sie.

1. sein _____Geld_____ zum Fenster hinauswerfen

2. für einen Apfel und ein _____

3. den _____ runtergehen

4. die _____ von etwas lassen

Geld ● Papier ● Brot ● Hemd

Brot ● Ei ● Wasser ● Brötchen

Bach ● See ● Teich ● Fluss

Hände ● Zehen ● Finger ● Füße

2 Welches Verb passt?

1. sich nach der Decke _____strecken_____ müssen

2. auf großem Fuß _____

3. jemanden an den Bettelstab _____

4. etwas über Bord _____

strecken ● recken ● ziehen ● dehnen

laufen ● gehen ● leben ● springen

bringen ● tragen ● holen ● treiben

lassen ● werfen ● geben ● bringen

3 Was meint das Gleiche? Verbinden Sie.

1 Sie lässt die Finger von etwas.

2 Sie ist arm wie eine Kirchenmaus.

3 Sie bekommt es für einen Apfel und ein Ei.

4 Sie wirft ihr Geld zum Fenster hinaus.

5 Sie muss sich nach der Decke strecken.

A Sie verschwendet ihr Geld.

B Sie erhält etwas sehr günstig.

C Sie macht etwas aus Vorsicht nicht.

D Sie muss mit wenig Geld auskommen.

E Sie ist völlig mittellos.

4 Lösen Sie das Kreuzworträtsel.

1. Jana hat keine Arbeit und kein Geld.

   Sie ist arm wie eine _____.

2. Passen Sie auf Ihr Geld auf! Sonst macht

   noch jemand lange _____.

3. Das Geschäft läuft schlecht. Es wird sicher

   bald den _____ runtergehen.

4. Sie waren glücklich, obwohl sie wenig Geld

   hatten und sich nach der _____

   strecken mussten.

5. Wer viel Vermögen hat, kann auf großem

   _____ leben.

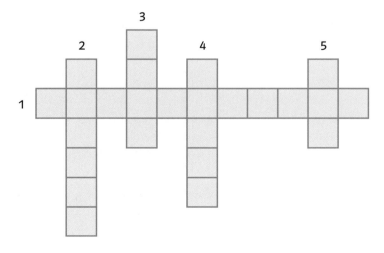

auf dem **Geld(beutel)** sitzen *(ugs.)*	*sehr geizig sein*	Mutter: „Wenn unser Sohn seine Abiturprüfung mit einer guten Note besteht, darf er sich etwas wünschen. Einverstanden?" Vater: „Ja, wozu auf dem Geldbeutel sitzen? So einen Anlass gibt es nicht jedes Jahr."
jemandem das **Genick** brechen *(ugs.)*	*jemanden ruinieren, zum Aufgeben zwingen*	„Wie läuft denn die Firma von deinem Bruder?" – „Ich glaube, er ist bald pleite. Die Konkurrenz und die hohen Lohnkosten brechen ihm noch das Genick."
von der **Hand** in den Mund leben *(ugs.)*	*alles Geld für den täglichen Bedarf ausgeben müssen; nichts sparen können*	Zwei Freundinnen treffen sich: „Ich habe gehört, dein Mann hat eine feste Arbeitsstelle bekommen." – „Ja, und er bekommt auch ein gutes Gehalt. Jetzt müssen wir nicht mehr von der Hand in den Mund leben."
in **Hülle** und Fülle *(ugs.)*	*im Überfluss; sehr viel*	Was würden S i e machen, wenn Sie Geld in Hülle und Fülle hätten?
etwas auf die hohe **Kante** legen *(ugs.)*	*Geld sparen*	„Kannst du von deinem Gehalt etwas auf die hohe Kante legen?" – „Nicht viel. Es wird ja auch fast alles immer teurer. Die Lebensmittel, das Benzin und …"
alles auf eine **Karte** setzen	*alles tun / riskieren, um etwas Bestimmtes zu erreichen*	„Wie geht es denn Andreas?" – „Sehr gut. Er hat nach seiner Ausbildung alles auf eine Karte gesetzt. Er hat sein Motorrad verkauft, hat sich von seinen Eltern Geld geliehen und dann: Ab nach Kanada! Dort hat er schnell einen guten Job bekommen." – „Na, dann hat sich sein Risiko ja gelohnt!"
Kleinvieh macht auch Mist. *(ugs.)*	*Auch kleinere (finanzielle) Beträge sind nützlich.*	„Bei dieser kleinen Reparatur verdient der Handwerker nicht viel. Aber Kleinvieh macht auch Mist."
die **Kohle** heranschaffen *(sal.)*	*das Geld verdienen oder anderweitig organisieren*	Inge: „Seit mein Mann arbeitslos ist, muss ich alleine die Kohle heranschaffen." Thea: „Und die Kinder und der Haushalt?" Inge: „Darum kümmert sich jetzt mein Mann. Und das macht er sehr gut."
Kopf und Kragen riskieren *(ugs.)*	*sein Leben oder seine (berufliche, finanzielle) Existenz aufs Spiel setzen*	„Warum leihst du ihm so viel Geld? Wenn er es dir nicht zurückzahlen kann, dann hast du nichts mehr." – „Er ist mein bester Freund, für ihn riskiere ich Kopf und Kragen."
etwas an **Land** ziehen *(ugs.)*	*etwas bekommen; etwas in seinen Besitz bringen*	„Jens konnte gestern den Auftrag an Land ziehen." – „Das ist ja toll, damit macht unsere Abteilung einen großen Gewinn."

1 Was passt zusammen? Ordnen Sie zu.

1	alles auf eine Karte	A	riskieren
2	etwas an Land	B	sitzen
3	auf dem Geld	C	setzen
4	die Kohle	D	ziehen
5	Kopf und Kragen	E	heranschaffen

2 Ergänzen Sie die Sätze. Drei Substantive bleiben übrig.

Kante ● Mund ● Genick ● Mist ● Hand ● Karte ● Kohle

1. „Elisabeth, du hast zu deinem Geburtstag viel Geld bekommen. Was hast du damit vor?" – „Zuerst werde ich mir neue Schuhe kaufen, aber ein bisschen will ich auch auf die hohe _____Kante_____ legen."

2. „Meine Schwester hat in den Schulferien gearbeitet. Leider hat sie nicht viel verdient, aber sie ist trotzdem zufrieden. Sie ist der Meinung: Kleinvieh macht auch _____."

3. „Mein Bruder will nächstes Jahr eine eigene Firma gründen. Er hat tolle Ideen, aber leider kein Geld. Er sagt, er wolle alles auf eine _____ setzen." – „Da muss er aber aufpassen, dass die hohen Kredite ihm nicht das _____ brechen."

3 Kreuzen Sie die passende Präposition an.

a) Ilona gibt ihr gesamtes Geld sofort wieder aus. Sie lebt
   25 mit   35 von   45 zu   der Hand in den Mund.

b) Sabine dagegen spart. Jeden Monat legt sie etwas
   8 neben   42 auf   95 an   die hohe Kante.

c) Es gibt Situationen, da muss man alles
   18 auf   39 für   40 in   eine Karte setzen. Kennen Sie das?

d) Roland ist reich. Er hat Geld
   90 von   50 durch   45 in   Hülle und Fülle.

e) Siegfried teilt nicht gern. Er sitzt
   14 unter   61 in   74 auf   seinem Geldbeutel.

Haben Sie alles richtig? Überprüfen Sie selbst: a) ☐ + b) ☐ – c) ☐ – d) ☐ + e) ☐ = 88

4 Sagen Sie es mit einer Redewendung. Ergänzen Sie in der richtigen Form.

1. Wer etwas in seinen Besitz bringt, der _____.

2. Wer nicht gern Geld ausgibt, der _____.

3. Wer seine Existenz aufs Spiel setzt, der _____.

4. Wer nichts sparen kann, der _____.

jemandem auf den **Leim** gehen (ugs.)	*auf die Tricks von jemandem hereinfallen*	Aus der Zeitung: „Die Polizei warnt vor zwei jungen Männern, die sich als Finanzberater ausgeben. Sie haben in den letzten Monaten mehrere Tausend Euro erbeutet. Allein in unserer Stadt sind ihnen mindestens fünfzehn Bürger auf den Leim gegangen."

jemanden hinters **Licht** führen	*jemanden täuschen*	„Der Händler auf dem Markt wollte mich hinters Licht führen." – „Was ist passiert?" – „Er dachte, ich sei eine ausländische Touristin und kenne die Preise nicht. Aber ich lebe schon viele Monate in diesem Land und weiß, dass er mir seine Waren viel zu teuer verkaufen wollte."
auf / aus dem letzten **Loch** pfeifen (sal.)	*am Ende seiner Kräfte sein; auch: fast kein Geld mehr haben*	„Mein lieber Sohn, jeden Abend Freunde, Party, Disko … Wenn du so weitermachst, wirst du bald auf dem letzten Loch pfeifen. Und das nicht nur finanziell. Denk auch mal an deine Gesundheit!"
ein gemachter **Mann** sein (ugs.)	*Erfolg haben; in guten wirtschaftlichen Verhältnissen leben*	„Dein Neffe scheint ja ein gemachter Mann zu sein: Mit 35 Jahren leitet er schon das beste Hotel der Stadt." – „Er hat sich seinen Erfolg aber auch hart erarbeitet."
sich eine goldene **Nase** verdienen (ugs.)	*bei einem Geschäft großen Gewinn machen*	„Wolfgang, was willst du denn mal werden, wenn du erwachsen bist?" – „Bäcker oder Profi-Fußballer." – „Na, dann werde lieber Fußballer, damit kannst du dir vielleicht eine goldene Nase verdienen!"
jemanden übers **Ohr** hauen (sal.)	*jemanden betrügen*	Auf dem Flohmarkt: „Ich glaube Ihnen nicht, dass diese Kette aus echtem Gold ist. Sie wollen mich wohl übers Ohr hauen?"
nicht von **Pappe** sein (ugs.)	*stark sein; nicht zu unterschätzen sein*	„Gestern habe ich meine Stromrechnung bekommen. Ich weiß gar nicht, wie ich die bezahlen soll." – „Ja, die Kosten sind nicht von Pappe, sie steigen und steigen."
den **Rahmen** sprengen	*über das Geplante, Übliche hinausgehen*	„Ich möchte im Winter unbedingt zum Skifahren." – „Das sprengt unseren finanziellen Rahmen. Du weißt, wir brauchen dringend neue Möbel."
sich etwas nicht aus den **Rippen** schneiden können (ugs.)	*nicht wissen, woher man etwas nehmen soll*	„Gestern hat mich meine Cousine angerufen. Zuerst haben wir über alles Mögliche gesprochen, aber dann wollte sie von mir tausend Euro leihen." – „Was hast du geantwortet?" – „Ich habe ihr gesagt, dass ich mir so viel Geld nicht aus den Rippen schneiden kann."
in **Saus** und Braus leben (ugs.)	*im Luxus leben; sorglos leben*	„Was ist nur mit Familie Schöller los? Früher hatten sie ein altes Auto, sind nie in den Urlaub gefahren und jetzt leben sie in Saus und Braus." – „Na, vielleicht haben sie im Lotto gewonnen?"

1 Welche Verben sind versteckt? Notieren Sie.

1. den Rahmen _____*sprengen*_____

2. jemanden hinters Licht _____

3. auf dem letzten Loch _____

4. jemandem auf den Leim _____

5. sich eine goldene Nase _____

6. sich etwas nicht aus den Rippen

_____ können

M	E	J	S	S	P	R	E	N	G	E	N	K	Y	R	L	D
S	C	H	N	E	I	D	E	N	H	P	F	E	I	F	E	N
D	T	O	A	W	P	S	L	T	F	G	Ü	Z	N	E	B	M
Z	I	G	E	H	E	N	S	R	M	A	H	I	R	W	P	V
G	K	T	C	W	N	Ö	F	U	L	S	R	K	M	S	D	B
N	L	S	Y	V	E	R	D	I	E	N	E	N	A	K	R	D
T	U	G	S	B	K	Z	D	Ü	F	S	N	L	M	R	G	H
D	J	O	R	M	E	A	J	F	R	M	S	Ö	F	T	X	I

2 Welche Redewendung passt? Kreuzen Sie an.

1. Felix hat mit seiner Firma großen Erfolg. Wenn es weiterhin so gut läuft, wird er bald

☐ den Rahmen sprengen   ☒ ein gemachter Mann sein   ☐ auf dem letzten Loch pfeifen.

2. Was, du möchtest ein größeres Haus kaufen? Meinst du nicht, dass wir damit

☐ uns etwas aus den Rippen schneiden   ☐ den Rahmen sprengen   ☐ in Saus und Braus leben?

3. Viele träumen davon, viel Geld zu haben. Sie wollen gern

☐ nicht von Pappe sein   ☐ in Saus und Braus leben   ☐ jemandem auf den Leim gehen.

4. Sei vorsichtig! Lass dich nicht

☐ hinters Licht führen   ☐ eine goldene Nase verdienen   ☐ übers Ohr hauen!

3 Welche Redewendung meint das Gleiche?

1 Er hat großen wirtschaftlichen Erfolg. ———   A jemanden übers Ohr hauen

2 Er ist auf jemandes Tricks hereingefallen.   B ein gemachter Mann sein

3 Er hat jemanden betrogen.   C jemandem auf den Leim gehen

4 Er ist nicht zu unterschätzen.   D sich eine goldene Nase verdienen

5 Er ist am Ende seiner Kräfte.   E nicht von Pappe sein

6 Er hat großen Gewinn gemacht.   F auf dem letzten Loch pfeifen

4 Formulieren Sie die Sätze aus Aufgabe 3 mit der passenden Redewendung.

1. _____

2. _____

3. _____

4. _____

5. _____

6. _____

aus dem **Schneider** sein *(ugs.)*	*das Schlimmste hinter sich haben; ein Problem gelöst haben*	„Endlich haben wir alle Schulden bezahlt und sind aus dem Schneider!" – „Glückwunsch! Das freut mich für euch."
ein **Schuss** in den Ofen sein *(sal.)*	*ein Misserfolg sein*	Zwei Freundinnen: „Wie läuft denn das neue Lokal bei euch in der Straße?" – „Ich glaube, das ist ein Schuss in den Ofen. Es kommen nicht viele Gäste."
tief in die **Tasche** greifen müssen *(ugs.)*	*viel Geld ausgeben müssen*	„Die Hochzeit eurer Tochter war wirklich ein ganz tolles Fest. Da habt ihr sicher tief in die Tasche greifen müssen?" – „Ach, so teuer war es gar nicht."
jemanden über den **Tisch** ziehen *(ugs.)*	*jemanden betrügen*	„Ich möchte mir ein gebrauchtes Auto kaufen." – „Dann lass dich von dem Händler nicht über den Tisch ziehen. Nimm Uwe mit. Der ist doch Automechaniker."
auf dem **Trockenen** sitzen *(ugs.)*	*kein Geld mehr haben*	Eine Urlaubskarte: „Liebe Eltern, viele Grüße aus …! Sonne, Meer, Strand – auch das Wetter ist klasse. Aber wenn wir weiterhin jeden Abend ausgehen, sitze ich bei den Preisen hier bald auf dem Trockenen."
ein **Tropfen** auf den heißen Stein *(ugs.)*	*so wenig, dass es nicht hilft*	„Leider sind die Gelder zur Entwicklungshilfe in armen Ländern oft nur ein Tropfen auf den heißen Stein."
jemandem steht das **Wasser** bis zum Hals *(ugs.)*	*jemand hat viele Geldprobleme und Schwierigkeiten*	Unter Studenten: „Paul, du siehst schlecht aus. Was ist los mit dir?" – „Ach, mir steht das Wasser bis zum Hals!" – „Warum denn?" – „Ich habe mein ganzes Geld für die Autoreparatur ausgegeben und jetzt weiß ich nicht, wovon ich diesen Monat meine Miete zahlen soll."
auf dem **Zahnfleisch** gehen / kriechen *(sal.)*	*sich in einer schwierigen Lage befinden; völlig mittellos oder erschöpft sein*	Am Monatsende: „Kommst du heute Abend mit in die Disko?" – „Tut mir leid, ich habe keinen Cent in der Tasche. Ich krieche völlig auf dem Zahnfleisch."
die **Zeche** prellen *(ugs.)*	*im Restaurant seine Rechnung nicht bezahlen*	Zwei Kellner: „Schau mal, ich glaube, der Gast hier will gehen und die Zeche prellen." – „Ja, komm schnell!"
auf keinen grünen **Zweig** kommen *(ugs.)*	*keinen Erfolg haben; es zu nichts bringen*	„Viele kleine Geschäfte haben in dieser Gegend schon schließen müssen." – „Warum denn?" – „Durch das neue große Einkaufszentrum hatten sie kaum noch Kunden. So kamen sie auf keinen grünen Zweig."

1 Was ist richtig? Kreuzen Sie an.

1. auf dem ☐ Bett ☒ Trockenen ☐ Tisch   sitzen

2. auf keinen ☐ hohen Berg ☐ kleinen Baum ☐ grünen Zweig   kommen

3. jemanden über den ☐ Tisch ☐ Sessel ☐ Stuhl   ziehen

4. aus dem ☐ Schneider ☐ Metzger ☐ Bäcker   sein

5. auf dem ☐ Trockenen ☐ Zahnfleisch ☐ Boden   kriechen

6. ein Schuss in den ☐ Wald ☐ Kamin ☐ Ofen   sein

2 Welche Präposition passt? Zwei bleiben übrig.

1. Wer ein Problem überwunden hat, der ist ___aus___ dem Schneider.

2. Wer kein Geld hat, der sitzt _____ dem Trockenen.

3. Wer viel Geld ausgibt, der greift tief _____ die Tasche.

4. Wer sehr erschöpft ist, der geht _____ dem Zahnfleisch.

5. Wer Schwierigkeiten hat, dem steht das Wasser _____ zum Hals.

6. Wer jemanden betrügt, der zieht ihn _____ den Tisch.

aus • in • bis • unter • auf • in • von • über • auf

Wir hoffen, diese Übung war für Sie kein Misserfolg – kein Schuss _____ den Ofen!

3 Was meint das Gleiche? Verbinden Sie.

1 Er hat die Zeche geprellt.

2 Das war ein Tropfen auf den heißen Stein.

3 Das war ein Schuss in den Ofen.

4 Er hat tief in die Tasche greifen müssen.

A Das war ein Misserfolg.

B Er hat nicht bezahlt.

C Er hat viel Geld ausgegeben.

D Das war viel zu wenig.

4 Welche Redewendung passt? Ergänzen Sie in der richtigen Form.

auf dem Trockenen sitzen • tief in die Tasche greifen • die Zeche prellen • ein Schuss in den Ofen • ein Tropfen auf den heißen Stein • auf keinen grünen Zweig kommen • über den Tisch ziehen • aus dem Schneider sein

Herr Schneider kaufte sich ein gebrauchtes Auto. Dafür musste er _____. Nach drei Tagen war der Wagen schon kaputt. Der Autohändler hatte Herrn Schneider _____.

Das Auto war _____. Er wollte einen Anwalt um Hilfe bitten, aber ohne Geld _____. Sein Freund konnte ihm auch nur 100 Euro leihen, das war viel zu wenig, es war nur _____. So ging Herr Schneider mit dem Geld in ein Lokal, um bei einem Glas Wein nachzudenken.

„Mit einem großen Lottogewinn könnte ich sofort _____! Aber das klappt ja doch nie. Vielleicht sollte ich einfach das Geld für den Wein sparen und _____? Ach nein, das ist keine gute Idee!"

Nach dem dritten Glas Wein dachte er traurig: „Ach, ich _____!" ODER ...?

jemandem unter die **Arme** greifen *(ugs.)*	*jemandem helfen*	Ein Telefonat: „Hallo Alex, hier ist Uta. Du weißt ja, dass ich nach Berlin umziehen muss, und dabei könnte ich deine Hilfe brauchen." – „Ja, klar greife ich dir gern unter die Arme. Ich frage auch noch ein paar Freunde."
etwas oder jemanden wie seinen **Augapfel** hüten *(geh.)*	*besonders gut auf etwas oder jemanden achten / aufpassen*	„Seit dem tödlichen Unfall seiner Frau kümmert sich Herr Vogt allein um seine kleine Tochter. Und er hütet sie wie seinen Augapfel, damit ihr nichts passiert."
ein **Auge** auf jemanden / etwas werfen *(ugs.)*	*sich für jemanden / etwas interessieren; Gefallen finden*	„Ich glaube, Kollege Frank hat ein Auge auf die neue Mitarbeiterin geworfen." – „Ja, kann sein. Man sieht ihn oft in ihrer Nähe, und er ist immer besonders nett zu Frau Becker."
aus den **Augen**, aus dem Sinn	*Man vergisst schnell / leicht jemanden, den man selten sieht.*	Beate: „Hast du mal wieder etwas von Ralf gehört?" Andreas: „Nein, er schreibt nicht und ruft auch nicht an. Du weißt doch: Aus den Augen, aus dem Sinn."
ein **Auge** / beide Augen zudrücken	*etwas nachsichtig behandeln; etwas wohlwollend übersehen*	„Hat Stefan seine Prüfung bestanden? Er war doch lange Zeit krank." – „Ja, der Prüfer hat wohl ein Auge zugedrückt."
jemandem schöne **Augen** machen	*zeigen, dass man an jemandem interessiert ist; flirten*	„Du, Mutti, die neuen Nachbarn sind sehr nett. Findest du nicht auch?" – „Ja, und besonders der Sohn, der dir immer schöne Augen macht. Stimmt's, Lisa?"
jemanden aus den **Augen** verlieren	*den Kontakt zu jemandem verlieren*	„Wie geht es eigentlich Maja?" – „Sie ist gleich nach dem Abitur ins Ausland gegangen, und so haben wir uns leider ganz aus den Augen verloren."
ein Streit um (des) Kaisers **Bart** *(ugs.)*	*ein überflüssiger, sinnloser Streit*	„Warum redest du denn nicht mehr mit Karin?" – „Ach, wir hatten einen Streit um Kaisers Bart." – „Worum ging es?" – „Ob Krimis oder Liebesromane schöner sind."
jemandem ein **Bein** stellen *(ugs.)*	*jemandem Schwierigkeiten bereiten*	„Warum hat Jan wohl gekündigt? Er hatte doch gute Chancen, neuer Gruppenleiter zu werden." – „Man sagt, jemand habe ihm ein Bein gestellt."
jemandem **Beine** machen *(ugs.)*	*jemanden zum schnellen Arbeiten antreiben; jemanden fortjagen*	Unter Freundinnen: „Dein Bruder Leon ist sehr nett. Außerdem sieht er gut aus." – „Ja, aber wenn es ums Arbeiten geht, muss man ihm immer Beine machen."

1 Welches Substantiv passt?

1. jemandem unter die _____*Arme*_____ greifen

2. auf jemanden ein _____ werfen

3. aus den Augen, aus dem _____

A~~rme~~ ● Hände ● Haare ● Füße
Ei ● Augenlicht ● Auge ● Ohr
Gedächtnis ● Herz ● Kopf ● Sinn

2 Was passt zusammen? Kombinieren Sie.

1. jemandem unter   den Augen   greifen

2. jemanden aus   Bein   machen

3. jemandem schöne   die Arme   hüten

4. jemandem   seinen Augapfel   verlieren

5. jemandem ein   Beine   machen

6. etwas oder jemanden wie   Augen   stellen

3 Was bedeutet die Redewendung? Kreuzen Sie an.

1. etwas oder jemanden wie seinen Augapfel hüten

☐ Man passt auf die Äpfel auf. ☐ Man isst gern Äpfel. ☒ Man passt auf jemanden besonders gut auf.

2. aus den Augen, aus dem Sinn

☐ Man vergisst jemanden schnell. ☐ Man spielt gern Verstecken. ☐ Man hat ein schlechtes Gedächtnis.

3. ein Auge / beide Augen zudrücken

☐ Man schläft gern lange. ☐ Man ist wohlwollend. ☐ Mit geschlossenen Augen schläft man besser.

4. ein Streit um Kaisers Bart

☐ Man trägt einen Bart. ☐ Man streitet wegen einem Bart. ☐ Man streitet sich um Unwichtiges.

4 Was meint das Gleiche? Es gibt immer zwei Möglichkeiten.

● A jemandem schöne Augen machen ● C ein Auge auf etwas oder jemanden werfen
● B jemandem unter die Arme greifen ● D jemanden aus den Augen verlieren

1. Mein Freund ist immer bereit mir zu helfen, wenn ich ihn brauche. _____

2. Sie möchte auch so eine schöne Wohnung wie Eva. _____

3. Auf der Party gestern Abend hat Julian mit Maria geflirtet. _____

4. Seit vielen Jahren habe ich keinen Kontakt mehr zu Regina. _____

5. Mein Bruder und Beate haben sich die ganze Zeit verliebt angesehen. _____

6. Wenn ich Hilfe brauche, bekomme ich immer Unterstützung von meinen Eltern. _____

7. Man sollte sich oft schreiben oder anrufen, um den Kontakt nicht zu verlieren. _____

8. Ich glaube, mein Freund interessiert sich sehr für meine Schwester. _____

dastehen wie **bestellt** und nicht abgeholt	*verloren und ratlos sein / aussehen*	Marie: „Warum sitzt du so allein im Café wie bestellt und nicht abgeholt?" Sandra: „Ich wollte mich hier mit meinem Freund treffen, aber er kommt nicht und meldet sich auch nicht."
jemanden zum **Besten** halten *(ugs.)*	*jemanden necken; sich über jemanden lustig machen*	„Warum ist Karlheinz in eurer Sportgruppe denn so unbeliebt?" – „Er hält andere oft zum Besten, und das mögen viele nicht."
einen großen **Bogen** um jemanden / etwas machen *(ugs.)*	*jemanden oder etwas meiden*	„Sag mal, Lea, fühlst du dich wohl in unserer Klasse? So ein Umzug und eine neue Schule sind sicher schwierig." – „Ja, aber inzwischen gefällt es mir sehr gut bei euch. Am Anfang habt ihr ja einen großen Bogen um mich gemacht."
mit jemandem durch **dick** und dünn gehen	*in guten wie in schlechten Zeiten bedingungslos zu jemandem halten*	Lehrerin: „Was bedeutet Freundschaft für euch?" Sophie: „Freundschaft heißt für mich, dass ich mit meinen Freunden durch dick und dünn gehe, dass ich immer für sie da bin und ihnen helfe."
einen guten **Draht** zu jemandem haben *(ugs.)*	*eine gute Beziehung zu jemandem haben*	Unter Kollegen: „Warum wurde denn der Neue gleich Abteilungsleiter?" – „Sein Vater hat einen guten Draht zum Geschäftsführer."
jemanden oder etwas wie ein rohes **Ei** behandeln	*jemanden / etwas sehr vorsichtig behandeln*	Roman: „Warum ist Sebastian schon wieder beleidigt?" Ralf: „Ach, das kann sehr schnell passieren. Man muss ihn immer wie ein rohes Ei behandeln."
ins **Fettnäpfchen** treten *(ugs.)*	*etwas Ungeschicktes oder Unpassendes sagen*	„Was ist mit unserer Nachbarin los? Sie ist so komisch." – „Ich bin ins Fettnäpfchen getreten. Ich habe gesagt, dass ich Apfelkuchen gar nicht mag. Und zu meinem letzten Geburtstag hatte sie mir doch einen gebacken."
jemanden um den (kleinen) **Finger** wickeln *(ugs.)*	*jemanden (durch Charme) so beeinflussen können, dass man alles von ihm bekommt*	Herr Vogt: „Petra und Jochen sind so ein schönes Paar, findest du nicht?" Frau Vogt: „Ja, aber ich glaube, sie wickelt ihn um den kleinen Finger. Er macht alles, was sie will."
jemandem zu **Füßen** liegen	*jemanden sehr verehren*	„Der arme Udo! Er ist so nett und lieb zu Susanne, er liegt ihr zu Füßen. Und sie behandelt ihn immer ganz schlecht."

1 Was ist richtig? Kreuzen Sie an.

1. jemanden zum [X] Besten [ ] Intelligentesten [ ] Dümmsten   halten
2. einen [ ] kleinen [ ] runden [ ] großen   Bogen um jemanden machen
3. mit jemandem durch [ ] dick und dünn [ ] hoch und tief [ ] groß und klein   gehen
4. jemanden oder etwas wie ein [ ] kaputtes [ ] gekochtes [ ] rohes   Ei behandeln
5. jemanden um den [ ] dicken [ ] kleinen [ ] langen   Finger wickeln

2 Was meint das Gleiche? Verbinden Sie.

[1] Karin sah ganz ratlos und verloren aus.

[2] Viele haben Maria auf dem Fest gemieden.

[3] Clara hielt in guten wie in schlechten Zeiten bedingungslos zu ihrer Schwester.

[4] Alle gingen mit Johanna sehr vorsichtig um.

[5] Mit ihrer netten Art konnte Heike ihren Freund immer leicht beeinflussen.

[A] Viele machten einen großen Bogen um sie.

[B] Sie ging mit ihr durch dick und dünn.

[C] Sie konnte ihn immer um den kleinen Finger wickeln.

[D] Sie stand da wie bestellt und nicht abgeholt.

[E] Alle behandelten sie wie ein rohes Ei.

3 Welche Substantive sind versteckt?

1. Um intrigante Menschen sollte man lieber einen großen ___Bogen___ machen.

2. Viele Dinge sind leichter, wenn man einen guten _____ zu jemandem hat.

3. Sensible Menschen möchten oft wie ein rohes _____ behandelt werden.

4. Bettina ist so schön, dass viele Männer ihr zu _____ liegen.

5. Mit seiner Äußerung ist unser Kollege ins _____ getreten.

6. Viele Kinder können ihre Eltern um den kleinen _____ wickeln.

L	D	E	H	B	J	O	A	W	V	Z	P	Ä	X	T	H
G	I	K	B	O	G	E	N	D	H	Z	J	C	A	S	G
D	T	H	C	E	H	D	K	E	R	F	Z	B	ß	D	W
S	F	E	Z	C	H	R	A	G	H	M	I	W	G	T	K
Ü	T	V	E	R	S	A	R	H	K	Z	U	P	V	R	E
X	E	W	D	A	H	H	Z	K	O	Ö	D	W	G	H	M
M	E	I	G	F	E	T	T	N	Ä	P	F	C	H	E	N
B	U	F	E	I	M	L	F	O	S	T	C	Z	R	B	F
L	I	D	R	N	W	T	Ö	R	S	G	R	K	Z	O	P
A	M	Z	I	G	F	R	F	Ü	ß	E	N	L	D	T	B
K	D	R	T	E	V	W	Q	L	P	Ä	F	R	H	M	I
H	J	D	U	R	E	M	L	Z	F	G	P	Ö	R	W	T

4 Wie sagt man es mit einer Redewendung? Ergänzen Sie in der richtigen Form.

1. Wenn man verloren und ratlos aussieht, dann _____.

2. Wenn man jemanden neckt, dann _____.

3. Wenn man jemanden meidet, dann _____.

4. Wenn man jemanden sehr verehrt, dann _____.

5. Wenn man sehr vorsichtig mit jemandem umgeht, dann _____.

6. Wenn man eine gute Beziehung zu jemandem hat, dann _____.

jemandem auf den **Geist** gehen (ugs.)	*jemandem auf die Nerven gehen; jemanden verärgern*	„Ich verstehe mich mit meinen Freunden ja ganz gut. Aber in letzter Zeit gehen sie mir auf den Geist. Es gibt nur noch zwei Themen: Sport und Computerspiele."
sich in die **Haare** geraten (ugs.)	*sich streiten*	„Ich denke, Sandra und Dieter sollten sich trennen." – „Warum denn? Die beiden haben doch erst letztes Jahr geheiratet." – „Aber sie geraten sich doch wegen jeder Kleinigkeit in die Haare."
viel von jemandem **halten**	*eine gute Meinung von jemandem haben*	„Wie denkst du über Leyla?" – „Ich mag sie sehr, ich halte viel von ihr."
jemanden in der **Hand** haben	*Macht über jemanden haben, sodass man über ihn bestimmen kann*	Aus einem Polizeibericht: „Der Verbrecher weigert sich, Mittäter zu nennen. Es wird vermutet, dass mächtige kriminelle Organisationen ihn in der Hand haben."
Eine **Hand** wäscht die andere. (ugs.)	*sich gegenseitig helfen*	Zwei Schüler: „Was hältst du davon, wenn du mir in Informatik hilfst und ich dir dafür die deutsche Grammatik erkläre?" – „Das ist eine prima Idee! Eine Hand wäscht die andere."
für jemanden seine **Hand** ins Feuer legen (ugs.)	*volles Vertrauen zu jemandem haben*	Kevin: „Hast du schon gehört, in unserer Kasse vom Sportverein fehlen 50 €?" Anne: „Hat Leon etwas damit zu tun, er ist doch für die Kasse verantwortlich?" Kevin: „Also für Leon lege ich meine Hand ins Feuer."
jemandem (völlig) freie **Hand** lassen	*jemandem erlauben, frei zu entscheiden oder zu handeln*	„Wo macht ihr dieses Jahr Urlaub?" – „Ich weiß es noch nicht. Dabei lasse ich meiner Frau völlig freie Hand."
jemanden auf **Händen** tragen	*jemanden sehr verwöhnen*	„Hanna hat großes Glück, sie hat einen tollen Freund." – „Ja, das stimmt. Er trägt sie auf Händen."
auf etwas **herumreiten** (ugs.)	*etwas (Unerfreuliches) immer wieder erwähnen*	„Warum hast du letzte Woche das Geld nicht gleich zur Bank gebracht? Dann hätte man es dir nicht stehlen können!" – „Ja, du hast recht. Aber jetzt reite nicht jeden Tag auf dieser Sache herum. Ich ärgere mich schon selbst genug darüber."
jemanden ins **Herz** schließen (ugs.)	*jemanden sehr mögen; jemanden gern haben*	Tina: „Mögen deine Eltern deinen neuen Freund?" Rita: „Oh ja, sie haben ihn gleich bei seinem ersten Besuch ins Herz geschlossen."

1 Ergänzen Sie das passende Substantiv.

1. jemandem auf den _____Geist_____ gehen

2. sich in die _____ geraten

3. jemanden in der _____ haben

4. Eine _____ wäscht die andere.

5. für jemanden seine Hand ins _____ legen

| Geist • Kopf • Rücken • Hals |
| Augen • Ohren • Haare • Hände |
| Hand • Tasche • Wohnung • Klasse |
| Person • Hand • Katze • Schwester |
| Wasser • Bier • Feuer • Eis |

2 Was passt zusammen? Kombinieren Sie.

1. jemandem auf	in die Haare	gehen
2. viel	Händen	schließen
3. jemanden auf	den Geist	halten
4. jemandem völlig	ins Herz	geraten
5. jemanden	freie Hand	tragen
6. sich	von jemandem	lassen

3 Was bedeutet die Redewendung? Kreuzen Sie an.

1. jemanden auf Händen tragen

☐ man ist sehr stark ☒ man verwöhnt jemanden ☐ man arbeitet als Krankenpfleger

2. Eine Hand wäscht die andere.

☐ sich gegenseitig helfen ☐ seine Wäsche mit der Hand waschen ☐ sich gegenseitig die Hände waschen

3. sich in die Haare geraten

☐ sich die Haare schneiden lassen ☐ sich streiten ☐ sich kämmen

4. für jemanden seine Hand ins Feuer legen

☐ bei der Feuerwehr arbeiten ☐ für jemanden kochen ☐ jemandem voll vertrauen

4 Ergänzen Sie die passende Redewendung in der richtigen Form. Drei Redewendungen passen nicht.

| jemandem völlig freie Hand lassen • jemanden in der Hand haben • jemanden ins Herz schließen • jemanden auf Händen tragen • sich in die Haare geraten • auf etwas herumreiten • viel von jemandem halten |

1. Der Stellvertreter darf alles allein entscheiden. Der Direktor _____.

2. Thomas ist zum ersten Mal richtig verliebt. Seine Freundin _____.

3. Die neue Nachbarin ist so nett. Man muss sie einfach _____.

4. Ich habe unsere Verabredung vergessen und Helen kann es nicht lassen, darauf _____.

jemandem ans **Herz** gewachsen sein	*von jemandem besonders geliebt werden*	„Sarah hat viele Jahre in einem armen Land gearbeitet und sich dort um Straßenkinder gekümmert. Und diese Kinder sind ihr ans Herz gewachsen."

ein **Herz** und eine Seele sein	*sich sehr gern mögen; gute, unzertrennliche Freunde sein*	„Du vermisst sicher deine Freunde in der Heimat, oder?" – „Ja natürlich, besonders Alberto. Wir waren immer ein Herz und eine Seele."
jemanden in den **Himmel** heben *(geh.)*	*jemanden sehr loben*	„Ich bin wütend, meine Eltern heben immer meine Schwester in den Himmel." – „Na, Tina ist ja auch Klassenbeste." – „Ja, aber meine Noten sind auch nicht schlecht."
für jemanden die **Kastanien** aus dem Feuer holen *(ugs.)*	*für einen anderen eine unangenehme Sache erledigen*	„Bernd hat schon wieder mit einem unserer Kunden Streit angefangen." – „Dieses Mal soll er sich selbst entschuldigen, ich werde nicht wie letzten Monat die Kastanien für ihn aus dem Feuer holen."
in dieselbe **Kerbe** hauen / schlagen *(ugs.)*	*dasselbe wollen / kritisieren (wie ein anderer auch)*	„Damit wir in unseren Wohnungen neue Duschen bekommen, müssen wir nächste Woche bei der Mieterversammlung alle in dieselbe Kerbe hauen."
jemandem ein **Klotz** am Bein sein *(ugs.)*	*für jemanden eine Last oder ein Hindernis sein*	„Haben die Müllers Kinder?" – „Nein, Frau Müller ist sehr erfolgreich in ihrem Beruf. Da meint sie wohl, dass ihr Kinder ein Klotz am Bein wären."
jemanden auf / in die **Knie** zwingen *(geh.)*	*den Widerstand von jemandem brechen*	„Ziehen unsere Nachbarn nun nach Hamburg oder nicht?" – „Frau Bauer und die Kinder wollen nicht umziehen, aber die Firma von Herrn Bauer wird sie wohl in die Knie zwingen."
jemandem (einen) **Knüppel** zwischen die Beine werfen *(ugs.)*	*jemandem Schwierigkeiten machen*	Doris: „Wie geht es denn deinem Freund, ist er schon Abteilungsleiter in seiner Firma?" Ulla: „Nein, leider nicht. Seine Kollegen werfen ihm immer wieder Knüppel zwischen die Beine."
jemanden vor den **Kopf** stoßen *(ugs.)*	*jemanden kränken, beleidigen*	„Warum sprechen Karin und Dirk eigentlich nicht mehr miteinander?" – „Er hat sie vor den Kopf gestoßen." – „Was hat er denn gesagt?" – „Dirk hat gesagt, dass ihre Schwester hübscher ist als sie."
jemandem den **Kopf** verdrehen *(ugs.)*	*erreichen, dass sich jemand in einen verliebt*	„Wie habt ihr euch kennen gelernt?" – „Das war in den Ferien, an der Ostsee. Wir waren beide 16. Monika hat mir schon am ersten Tag den Kopf verdreht."

1 **Ergänzen Sie die Redewendungen. Sechs Substantive bleiben übrig.**

Kastanien ● Füße ● Knie ● Bein ● Brötchen ● Niere ● Gesicht ● Seele ● Hals ● Kopf ● Arm ● Beine

1. für jemanden die _____Kastanien_____ aus dem Feuer holen
2. jemandem ein Klotz am _____ sein
3. ein Herz und eine _____ sein
4. jemandem den _____ verdrehen
5. jemandem einen Knüppel zwischen die _____ werfen
6. jemanden auf die _____ zwingen

2 **Kreuzen Sie die richtige Präposition an.**

1. jemanden [X] in [ ] an [ ] auf   den Himmel heben
2. für jemanden die Kastanien [ ] von [ ] aus [ ] in   dem Feuer holen
3. jemandem einen Knüppel [ ] um [ ] gegen [ ] zwischen   die Beine werfen
4. jemandem ein Klotz [ ] am [ ] beim [ ] im   Bein sein
5. jemanden [ ] hinter [ ] auf [ ] vor   den Kopf stoßen
6. jemandem [ ] ans [ ] ins [ ] ums   Herz gewachsen sein

3 **Welche Redewendung passt? Ergänzen Sie in der richtigen Form.**

jemandem ans Herz gewachsen sein ● für jemanden die Kastanien aus dem Feuer holen

● ein Herz und eine Seele sein ● in dieselbe Kerbe schlagen ● jemandem den Kopf verdrehen

● jemanden in den Himmel heben

Johanna und Johann waren schon im Kindergarten unzertrennlich. Zu Recht sagten ihre Eltern oft:

„Sie _____." Als sie in die Schule kamen, hat sich das auch nicht geändert.

Johanna teilte immer Johanns Meinung, sie unterstützte ihn, sie _____ wie er.

Wenn Johanna eine gute Note erhielt oder im Unterricht das Richtige sagte, bekam sie von Johann viel Lob, er

_____. Aber auch unangenehme Sachen erledigte er für sie. Wenn sie mal

einen Fehler machte, war er immer bereit, für seine beste Freundin _____.

Als sie in die zehnte Klasse kamen, stellten beide fest, dass ihre Gefühle füreinander viel mehr als nur freundschaftlich

waren. Mit ihrem langen Haar, ihrem schönen Gesicht und ihrem fröhlichen Lachen hatte Johanna ihrem Freund

_____. Johann war in sie verliebt, aber auch er wurde von ihr besonders

geliebt. Er war _____.

jemandem einen **Korb** geben (ugs.)	jemandes Angebot ablehnen (ursprünglich: Liebeserklärung oder Heiratsantrag)	„Wolltest du nicht mit Jana in den Urlaub fahren?" – „Doch, aber sie hat mir einen Korb gegeben und ist lieber mit Barbara verreist."
jemandem an den **Kragen** wollen (ugs.)	jemandem etwas Böses antun wollen	„Also du siehst aus, als wolltest du mir gleich an den Kragen." – „Keine Sorge, ich habe nur Kopfschmerzen, bin aber ganz friedlich."
mit jemandem auf **Kriegsfuß** stehen (ugs.)	mit jemandem über längere Zeit Streit haben	„Es wäre gar nicht klug, Beate und Ramona in einer Studiengruppe arbeiten zu lassen. Die beiden stehen seit Wochen auf Kriegsfuß miteinander." – „Schade, dabei waren sie früher die besten Freundinnen."
jemandem etwas **krummnehmen** (sal.)	auf jemanden wegen einer bestimmten Sache böse sein	„Hallo Marcelo! Schön, dass du dich endlich wegen des Vertrags meldest. Was war denn los mit dir?" – „Nimm es mir bitte nicht krumm, dass ich erst heute anrufe. Ich war auf Dienstreise und danach war ich krank."
jemandem den **Laufpass** geben (ugs.)	sich von jemandem trennen	„Stimmt es, dass Rosi und Max sich getrennt haben?" – „Ja, Rosi hat erfahren, dass Max sich heimlich mit Ina traf. Da hat sie ihm sofort den Laufpass gegeben."
jemanden wie **Luft** behandeln (ugs.)	jemanden ignorieren, nicht beachten	Jochen: „Wie war denn das Wochenende bei deinen zukünftigen Schwiegereltern?" Stefan: „Sie waren sehr nett zu mir, nur der kleine Bruder meiner Freundin hat mich wie Luft behandelt."
jemandem das **Messer** an die Kehle setzen (ugs.)	jemanden unter Druck setzen; jemanden zu etwas zwingen wollen	„Wie geht es deiner Schwester?" – „Im Moment nicht so gut. Ihr Freund will unbedingt, dass sie bei ihm einzieht. Aber sie möchte lieber alleine wohnen und lässt sich nicht das Messer an die Kehle setzen."
jemanden auf den **Mond** schießen können (sal.)	auf jemanden sehr wütend sein	„Warum bist du denn so wütend?" – „Ach, ich habe meinem Bruder mein Auto geliehen und gestern Abend sollte er es zurückbringen. Wegen ihm muss ich heute mit der Bahn fahren. Ich könnte ihn auf den Mond schießen!"
jemandem zu **nahe** treten (ugs.)	jemanden beleidigen / kränken	„Entschuldigen Sie bitte, Frau Meyer, wenn ich Sie beleidigt habe. Ich wollte Ihnen nicht zu nahe treten."
bis über beide **Ohren** verliebt sein (ugs.)	sehr verliebt sein	Zwei Mütter im Gespräch: „Hat Ihr Sohn schon eine feste Freundin?" – „Ja, seit ein paar Monaten, und er ist bis über beide Ohren verliebt."

1 Was passt zusammen? Verbinden Sie.

1 etwas krumm-   A geben

2 einen Korb   B wollen

jemandem 3 zu nahe   C geben

4 den Laufpass   D treten

5 an den Kragen   E nehmen

2 Welche Präposition passt? Fünf bleiben übrig.

1. bis _über_ beide Ohren verliebt sein

2. jemandem das Messer _____ die Kehle setzen

3. mit jemandem _____ Kriegsfuß stehen

4. jemanden _____ den Mond schießen können

5. jemandem _____ den Kragen wollen

über ● in ● zum ● an ● an ● auf
● unter ● auf ● hinter ● für

3 Wie sagt man es mit einer Redewendung? Ergänzen Sie in der richtigen Form.

1. Wenn man jemanden ignoriert, dann _behandelt man ..._ .

2. Wenn man ein Angebot von jemandem ablehnt, dann _____ .

3. Wenn man sich von jemandem trennt, dann _____ .

4. Wenn man jemanden unter Druck setzt, dann _____ .

5. Wenn man mit jemandem lange Zeit streitet, dann _____ .

6. Wenn man jemanden kränkt, dann _____ .

4 Lösen Sie das Rätsel.

Uta: „Stell dir vor, Peter hat mich eingeladen,

mit ihm am Samstag auf eine Party zu gehen!"

Antje: „Du hast ihm sicherlich keinen (1)_____

gegeben. Peter gefällt dir doch schon lange."

Uta: „Leider habe ich am Samstag Nachtschicht. Ich musste

ablehnen. Nun spricht Peter nicht mehr mit mir. Dabei

wollte ich ihm nicht zu (2)_____ treten."

Antje: „Scheinbar nimmt er es dir aber (3)_____ ,

wenn er dich jetzt (4)_____ Luft behandelt."

Uta: „Was soll ich bloß machen? Oh, diese Männer! Manchmal

könnte ich sie alle auf den (5)_____ schießen."

Lösungswort: Waren Sie schon mal bis über beide _____ verliebt?

jemanden auf die **Palme** bringen *(ugs.)* 	*jemanden sehr ärgern*	„Grüß dich, Dirk! Was machst du hier? Warum schaust du denn so böse?" – „Ach, ich warte mal wieder auf Sandra. Wie immer kommt sie zu spät. Wenn ich dann etwas sage, lacht sie nur. Und das bringt mich auf die Palme!"
wie **Pech** und Schwefel zusammenhalten *(ugs.)*	*Freunde sein und sich durch nichts trennen lassen*	„Katja und Lea sind seit ihrer Schulzeit Freundinnen. Sie halten zusammen wie Pech und Schwefel."
jemandem den schwarzen **Peter** zuschieben	*jemandem die Schuld an etwas geben*	Lehrer: „So, Jungs, nun mal ehrlich, wer von euch beiden hat die Fensterscheibe kaputt gemacht?" Michael: „Das war Anton." Anton: „Nein, Michael." Lehrer: „Also, jetzt schiebt euch nicht gegenseitig den schwarzen Peter zu!"
jemandem in die **Quere** kommen *(ugs.)*	*jemanden stören*	Lutz: „Komm mir heute bitte nicht in die Quere, ich muss dringend für meine Prüfung lernen." Irina: „Ja, ist gut."
jemanden im **Regen** stehen lassen *(ugs.)* 	*jemandem in einer schwierigen Situation nicht helfen*	„Das hätte ich nicht von Christian gedacht! Er hatte versprochen, bei unserem Umzug zu helfen. Und jetzt hat er plötzlich keine Zeit und lässt uns im Regen stehen."
jemanden nicht **riechen** können *(ugs.)*	*jemanden gar nicht mögen*	„Warum hast du Leo eingeladen?" – „Ich finde ihn nett und lustig." – „Also, ich kann ihn nicht riechen!"
jemandem in den **Rücken** fallen	*sich plötzlich gegen jemanden stellen, mit dem man bisher verbunden war*	„Warum bist du mir böse?" – „Das fragst du noch? Ich habe dich immer unterstützt, aber du bist mir gestern auf der Versammlung in den Rücken gefallen."
jemanden in den **Sack** stecken *(sal.)*	*jemandem überlegen sein; jemanden besiegen*	„Jan und Ulrike sind Zwillinge, doch jeder hat seine Stärken. Er ist gut in Sport, aber in Mathematik steckt sie ihn in den Sack."
jemanden mit **Samthandschuhen** anfassen *(ugs.)*	*jemanden übertrieben vorsichtig behandeln*	„Denk bitte daran, morgen sind wir mit Klaus und Anna verabredet." – „Dazu habe ich überhaupt keine Lust. Anna finde ich ja ganz nett, aber Klaus muss man immer mit Samthandschuhen anfassen."
jemanden in den **Schatten** stellen *(ugs.)*	*bessere Leistungen zeigen als ein anderer*	„Sicher ist Elisa auch dieses Jahr wieder die Beste in ihrer Klasse?" – „Nein, eine neue Mitschülerin stellt sie jetzt in den Schatten."

1 Alles hat ein Ende ... die Redewendung auch! Welches Verb passt?

1. jemanden mit Samthandschuhen _____*anfassen*_____

anfassen ● fassen ● greifen ● packen

2. jemanden in den Schatten _____

bringen ● stellen ● tragen ● fahren

3. jemandem in die Quere _____

gehen ● laufen ● kommen ● springen

4. jemanden in den Sack _____

schieben ● einpacken ● drücken ● stecken

5. wie Pech und Schwefel _____

halten ● kleben ● zusammenhalten ● riechen

2 Welche Redewendung meint das Gleiche?

1. Alex hat meine Pläne gestört.

2. Sein Verhalten macht den Lehrer wütend.

3. Beim Schachspiel ist er seiner Frau überlegen.

4. Stell dich nicht gegen deine Freunde!

5. Pia hat ihnen nicht geholfen.

6. Warum gibst du ihm die Schuld?

A jemanden in den Sack stecken

B jemanden im Regen stehen lassen

C jemandem in die Quere kommen

D jemandem den schwarzen Peter zuschieben

E jemanden auf die Palme bringen

F jemandem in den Rücken fallen

3 Formulieren Sie die Sätze aus Aufgabe 2 mit der passenden Redewendung.

1. _*Alex ist mir ...*_____

2. _____

3. _____

4. _____

5. _____

6. _____

4 Setzen Sie die fehlenden Verben in der richtigen Form ein.

1. Gute Freunde _____ wie Pech und Schwefel _____.

2. Es ist nicht richtig, Kinder immer mit Samthandschuhen _____.

3. Gestern hat mich mein kleiner Bruder auf die Palme _____.

4. Felix mochte Uwe noch nie. Er hat ihn noch nie _____ können.

5. Niemand war besser als er im Kopfrechnen, niemand _____ ihn in den Schatten.

6. Dieses Mal hast du nur die Silbermedaille gewonnen. Aber beim nächsten Wettkampf wirst du

   sie sicher alle in den Sack _____!

sich auf den **Schlips** getreten fühlen (*sal.*)	*beleidigt reagieren; gekränkt sein*	„Warum redet Christian nicht mehr mit dir?" – „Er fühlt sich wohl auf den Schlips getreten, weil ich ihm letzte Woche ehrlich meine Meinung über sein neues Tattoo gesagt habe."

jemandem etwas in die **Schuhe** schieben (*ugs.*)	*jemandem zu Unrecht die Schuld an etwas geben*	„Meine Frau hatte gestern Abend einen Autounfall. Der andere Fahrer will ihr jetzt die Schuld in die Schuhe schieben. Dabei ist er bei Rot über die Ampel gefahren."
jemandem die kalte **Schulter** zeigen (*ugs.*)	*jemanden abweisen; jemandes Bitte nicht beachten*	Horst: „Jetzt entschuldige dich endlich bei Tanja!" Jan: „Das habe ich schon gemacht, aber es hat nichts genützt. Sie zeigt mir die kalte Schulter." Horst: „Vielleicht solltest du ihr Blumen schenken?"
jemandem **Steine** in den Weg legen	*jemandem Schwierigkeiten machen*	Frida: „Mutti, ich möchte zum Schüleraustausch nach China gehen. Das wäre für mein späteres Studium sehr nützlich. Warum legst du mir Steine in den Weg?" Mutter: „Ich mache mir Sorgen! Du bist erst 16 und willst schon ein ganzes Jahr allein ins Ausland."
jemanden im **Stich** lassen (*ugs.*)	*jemandem in einer schwierigen Situation nicht helfen; jemanden verlassen*	„Meine Eltern lassen sich scheiden und jetzt lässt mich meine beste Freundin auch im Stich. Dabei würde ich sie so dringend brauchen."
den **Ton** angeben	*eine führende Position innerhalb einer Gruppe haben*	„Gibt es in eurer Sportgruppe auch jemanden, der bestimmt, was gemacht wird?" – „Ja, bei uns gibt Nico den Ton an."
mit jemandem nicht **warm** werden (*ugs.*)	*jemanden nicht sympathisch finden*	„Mit meiner neuen Nachbarin werde ich nicht warm. Das ist sehr schade. Mit Frau Vogt, die vorher hier gewohnt hat, war ich gut befreundet."
schmutzige **Wäsche** waschen (*ugs.*)	*einander (vielleicht unberechtigte) Vorwürfe machen; sich über Vergangenes streiten*	„Kurz nach ihrer Trennung waschen Carla und Roman schmutzige Wäsche." – „Ja, das ist schlimm. Und früher waren sie so verliebt."
jemandem nicht über den **Weg** trauen (*ugs.*)	*jemandem nicht vertrauen*	„Wie denkst du über den neuen Freund von Margit?" – „Ich traue ihm nicht über den Weg. Er ist immer mit so seltsamen Typen zusammen."
sich mit jemandem in die **Wolle** kriegen (*ugs.*)	*mit jemandem streiten; mit jemandem einen Streit beginnen*	Zwei Großmütter: „Wie geht es deinen Enkeln? Sind sie immer noch wie Hund und Katze?" – „Ach, frag mich nicht, es ist schlimm! Wegen jeder Kleinigkeit kriegen sie sich in die Wolle."

1 Welches Substantiv passt?

1. jemandem nicht über den _____Weg_____ trauen

2. sich mit jemandem in die _____ kriegen

3. jemandem _____ in den Weg legen

4. schmutzige _____ waschen

~~Weg~~ • Pfad • Wald • Baum
Wäsche • Wolle • Fäden • Pullover
Felsen • Berge • Steine • Gebirge
Hemden • Socken • Wäsche • Blusen

2 Was meint das Gleiche? Es gibt immer zwei Möglichkeiten.

> • A jemanden im Stich lassen • C jemandem etwas in die Schuhe schieben
> • B sich auf den Schlips getreten fühlen • D jemandem die kalte Schulter zeigen

1. jemanden zu Unrecht beschuldigen __C__

2. jemanden abweisen _____

3. jemanden verlassen _____

4. beleidigt sein _____

5. jemandem nicht helfen _____

6. jemandem die Schuld geben _____

7. gekränkt reagieren _____

8. jemandes Bitte nicht beachten _____

3 Sagen Sie es mit einer Redewendung.

1. Gestern habe ich Gerd meine Meinung gesagt, jetzt **ist er beleidigt** /

   fühlt er sich ... .

2. In ihrer Arbeitsgruppe **hat sie eine führende Position** /

   _____ .

3. Mein Cousin hat eine neue Freundin. **Ich finde sie unsympathisch** /

   _____ .

4. Jetzt hört auf! Warum müsst ihr **immer streiten** /

   _____ ?

5. Er hat mich schon oft belogen. **Ich vertraue ihm nicht** /

   _____ .

4 Formulieren Sie mit eigenen Worten.

1. Lass mich nicht im Stich! _____

2. Julian hat die Vase zerbrochen. Nun schiebt er das seinem Bruder in die Schuhe.

   _____

3. Marion hat ihn höflich gebeten, aber er hat ihr nur die kalte Schulter gezeigt.

   _____

4. Er hat den Eindruck, dass ihm jemand Steine in den Weg legen will.

   _____

an der richtigen **Adresse** sein (ugs.)	*sich an die zuständige (richtige) Person oder Stelle gewandt haben*	Alfredo: „Kann ich mit dem Abiturzeugnis aus meiner Heimat hier studieren?" Lukas: „Ich habe keine Ahnung. Ruf das Akademische Auslandsamt an, da bist du an der richtigen Adresse."
(an etwas) **Anstoß** nehmen	*sich (über etwas) ärgern*	Aus einem Zeitungsartikel zum Thema Integration: „Laut eigener Aussage nehmen viele ausländische Mitbürger Anstoß daran, dass Deutsche sehr oft in gebrochenem Deutsch mit ihnen sprechen."
jemanden auf den **Arm** nehmen (ugs.)	*sich über jemanden lustig machen; jemandem im Scherz etwas Unwahres sagen*	„Ulrich hat erzählt, dass seine Firma ihn nächstes Jahr ins Ausland schickt und er dort das doppelte Gehalt bekommt." – „Das glaube ich nicht, da hat er dich sicher auf den Arm genommen. Das tut er gern."
jemandem die **Augen** öffnen (ugs.)	*jemandem sagen oder zeigen, wie unerfreulich etwas wirklich ist*	„Der neue Freund von Elke ist verheiratet und hat zwei Kinder. Und Elke weiß nichts davon." – „Na, da muss ihr dringend jemand die Augen öffnen."
jemandem gehen die **Augen** auf (ugs.)	*jemand durchschaut etwas plötzlich*	„Elke, was ich dir jetzt sagen muss, macht dich sicher sehr traurig. Dein Freund ist ..." – „Jetzt gehen mir die Augen auf! Deswegen hat er am Wochenende nie Zeit."
nur **Bahnhof** verstehen (ugs.)	*etwas nicht richtig oder überhaupt nicht verstehen*	Emilia: „Jan, kannst du mir bitte beim Ausfüllen der Formulare helfen?" Jan: „Ich kann es versuchen, aber ich sage dir ehrlich, bei diesen Formularen verstehen selbst Deutsche oft nur Bahnhof."
jemandem einen **Bären** aufbinden (ugs.)	*jemandem etwas Unwahres so erzählen, dass er es glaubt*	„Hallo Udo! Gestern habe ich Mario getroffen und er hat mir erzählt, dass du nächsten Monat heiratest. Herzlichen Glückwunsch!" – „Das stimmt nicht! Da hat er dir einen Bären aufgebunden."
etwas zum **Besten** geben	*etwas erzählen, um die Leute zu unterhalten*	Julia: „Na, wie war es auf der Geburtstagsfeier?" Nadja: „Sehr lustig. Mein Opa hat viele Geschichten aus seiner Jugend zum Besten gegeben, und wir mussten viel lachen."
etwas durch die **Blume** sagen (ugs.)	*etwas nicht direkt sagen, sondern nur andeuten*	„Kann es sein, dass du gestern bis spät am Abend gearbeitet hast?" – „Du musst mir nicht durch die Blume sagen, dass ich heute sehr schlecht aussehe."
jemandem etwas aufs **Butterbrot** schmieren (sal.)	*jemandem (wiederholt) Vorwürfe machen; ihn kritisieren*	„Warum hast du mich letzte Woche angelogen?" – „Es tut mir sehr leid, und ich habe mich schon bei dir entschuldigt. Aber du musst mir meine Lüge auch nicht immer wieder aufs Butterbrot schmieren."

1 **Was passt zusammen? Ordnen Sie zu.**

1	jemandem einen Bären		A	öffnen
2	jemandem etwas aufs Butterbrot		B	aufbinden
3	an der richtigen Adresse		C	nehmen
4	jemandem die Augen		D	schmieren
5	jemanden auf den Arm		E	sein

2 **Was bedeutet die Redewendung? Kreuzen Sie an.**

1. etwas durch die Blume sagen

[X] etwas nur andeuten   [ ] hinter einer Blume sitzen   [ ] eine Blume in der Hand haben

2. an etwas Anstoß nehmen

[ ] den Ball anstoßen   [ ] sich über etwas ärgern   [ ] zum Denken anregen

3. etwas zum Besten geben

[ ] zur Unterhaltung beitragen   [ ] etwas verschenken   [ ] etwas besser machen

4. nur Bahnhof verstehen

[ ] sich am Bahnhof treffen   [ ] etwas nicht verstehen   [ ] nur das Wort Bahnhof verstehen

5. jemanden auf den Arm nehmen

[ ] sich über jemanden lustig machen   [ ] jemanden tragen   [ ] jemanden auf den Arm setzen

6. jemandem die Augen öffnen

[ ] jemanden wecken   [ ] aufwachen   [ ] jemandem sagen, wie unerfreulich etwas ist

3 **Was meint das Gleiche? Verbinden Sie.**

1	Peter hat die Gäste gut unterhalten.		A	Er verstand nur Bahnhof.
2	Er hat ihm gesagt, wie schlecht seine Leistungen sind.		B	Er gab lustige Geschichten zum Besten.
3	Uwe verstand die Bedienungsanleitung überhaupt nicht.		C	Er war an der richtigen Adresse.
4	Karl hat sich gleich an die zuständige Stelle gewandt.		D	Ihm gingen die Augen auf.
5	Plötzlich durchschaute er ihre Absichten.		E	Er hat ihm die Augen geöffnet.

4 **Wie sagt man es mit einer Redewendung? Ergänzen Sie in der richtigen Form.**

1. Wer jemanden täuschen will, der _____.

2. Wer sich über etwas ärgert, der _____.

3. Wer das wirkliche Thema nur andeutet, der _____.

4. Wer sich lustig über jemanden macht, der _____.

5. Wer jemanden immer wieder kritisiert, der _____.

6. Wer etwas nicht richtig versteht, der _____.

jemanden für **dumm** verkaufen (ugs.)	*jemanden täuschen wollen*	„Mein neuer Laptop hat tausend Euro gekostet." – „Hey, willst du mich für dumm verkaufen? So ein Gerät hat mein Bruder vorige Woche für 300 Euro bekommen."
ein heißes **Eisen** sein (ugs.)	*eine schwierige Sache / ein Problem sein*	Minister: „Ich weiß, es ist ein heißes Eisen. Trotzdem schlage ich vor, dass wir allen Schulabgängern eine Lehrstelle garantieren."
den **Faden** verlieren (ugs.)	*beim Sprechen nicht mehr genau wissen, was man eigentlich sagen wollte*	„Hast du gestern im Fernsehen die Sendung über den Klimaschutz angeschaut?" – „Ja, das war wirklich sehr interessant. Aber leider hat die Moderatorin immer wieder den Faden verloren."
den **Finger** auf die Wunde legen	*deutlich auf ein Übel oder ein Problem hinweisen*	Aus der Zeitung: „In seiner Rede über die zunehmende Verarmung kinderreicher Familien legte der Autor den Finger auf die Wunde."
jedes Wort auf die **Goldwaage** legen (ugs.)	*eine Äußerung wörtlich nehmen; sehr vorsichtig sein und genau überlegen, was man sagt*	Tanja: „Costa, du weißt, heute Abend kommen unsere Nachbarn zu Besuch. Fang bitte keine Diskussionen mit ihnen an. Sie legen jedes Wort auf die Goldwaage und sind schnell beleidigt."
bei jemandem fällt der **Groschen** (ugs.)	*jemand versteht endlich etwas*	Unter Freundinnen: „Pass auf, bei der Aufgabe geht es um …" – „Ach, jetzt fällt bei mir der Groschen! Im Unterricht habe ich das nicht verstanden."
etwas in den falschen **Hals** bekommen (ugs.)	*etwas missverstehen und deshalb übel nehmen*	Uwe: „Glückwunsch zu deiner Eins in EDV, Carlos. Hast du ein Schwein!" Carlos: „Was soll das denn?" Uwe: „Schau nicht so böse. Ich glaube, du hast da etwas in den falschen Hals bekommen. ‚Schwein haben' bedeutet großes Glück zu haben."
jemandem sein **Herz** ausschütten (geh.)	*jemandem alle seine Sorgen erzählen*	„Gestern habe ich meiner Freundin Hanna mein Herz ausgeschüttet." – „Und fühlst du dich jetzt besser?" – „Ja, es war sehr gut, dass ich mal mit jemandem über meine Probleme sprechen konnte."
etwas auf dem **Herzen** haben (ugs.)	*einen Wunsch / ein Problem haben und eigentlich mit jemandem darüber sprechen wollen*	„Du isst ja kaum etwas, schmeckt dir das Essen nicht? Oder hast du etwas auf dem Herzen?" – „Du hast recht, ich bin traurig, weil es mit meinem Studienplatz in München nicht klappt."
jemandem **Honig** um den Mund / ums Maul schmieren (sal.)	*jemandem schmeicheln, um bei ihm etwas zu erreichen*	Zwei Kolleginnen: „Hoffentlich bekommen wir zur gleichen Zeit Urlaub, damit wir zusammen nach Wien fahren können." – „Das wird schwierig. Da müssen wir unserer Chefin Honig um den Mund schmieren."

1 Kreuzen Sie die passende Präposition an.

1. jedes Wort ☐ in ☐ an ☒ auf   die Goldwaage legen
2. jemandem Honig ☐ auf ☐ um ☐ in   den Mund schmieren
3. jemanden ☐ als ☐ gegen ☐ für   dumm verkaufen
4. den Finger ☐ in ☐ auf ☐ an   die Wunde legen
5. etwas ☐ durch ☐ für ☐ in   den falschen Hals bekommen

2 Was passt zusammen? Kombinieren Sie.

1. den Finger auf	dumm	legen
2. etwas in	sein Herz	bekommen
3. jemanden für	den falschen Hals	verkaufen
4. jedes Wort auf	die Wunde	haben
5. etwas auf	die Goldwaage	ausschütten
6. jemandem	dem Herzen	legen

3 Was bedeutet die Redewendung? Kreuzen Sie an.

1. etwas in den falschen Hals bekommen

☐ sich verschlucken ☒ etwas missverstehen ☐ sehr schnell essen

2. den Faden verlieren

☐ sehr vergesslich sein ☐ unordentlich sein ☐ nicht mehr wissen, was man sagen wollte

3. jedes Wort auf die Goldwaage legen

☐ als Goldschmied arbeiten ☐ eine Äußerung wortwörtlich nehmen ☐ sehr genau sein

4. jemandem Honig um den Mund schmieren

☐ jemandem schmeicheln ☐ jemandem Honig geben ☐ jemanden ärgern

4 Sagen Sie es mit einer Redewendung.

1. Erst nachdem ich den Text dreimal gelesen hatte, **verstand ich ihn endlich**.

_____

2. Alex sagte etwas zu seinem ausländischen Freund. Dieser konnte noch nicht so gut Deutsch, deshalb **hat er es missverstanden**.

_____

3. Frau Rösler merkte sofort, dass ihr Sohn **irgendein großes Problem hat**.

_____

4. Der Redner hat das Thema Umweltverschmutzung nur am Rande erwähnt. Es **ist eine schwierige Sache**.

_____

jemanden / etwas durch den **Kakao** ziehen *(ugs.)*	*sich über jemanden oder etwas lustig machen*	„Warum bist du denn so wütend?" – „Das fragst du noch! Du hast mich mal wieder vor all meinen Freunden durch den Kakao gezogen."
die **Kirche** im Dorf lassen *(ugs.)*	*etwas vernünftig betrachten; nicht übertreiben*	„Diese laute Musik regt mich auf! Ich rufe jetzt die Polizei." – „Komm, lass die Kirche im Dorf. Ich gehe zu den Nachbarn und bitte sie, dass sie die Musik leiser stellen. Man kann doch mit den Leuten reden."
jemandem etwas an den **Kopf** werfen *(ugs.)*	*etwas Unfreundliches oder Freches sehr direkt zu jemandem sagen*	„Warum spricht Pia nicht mehr mit dir?" – „Wir hatten Streit und ich habe ihr an den Kopf geworfen, dass sie die unordentlichste Person ist, die ich kenne."
kurz angebunden sein	*wenig sprechen; unfreundlich, unhöflich sein*	Katrin: „War dein Freund gestern Abend böse, weil ich so spät noch angerufen habe?" Marie: „Nein, warum?" Katrin: „Er war am Telefon so kurz angebunden." Marie: „Ach, er hatte einen sehr anstrengenden Tag hinter sich."
frei von der **Leber** weg reden *(ugs.)*	*ganz offen sprechen; das sagen, was man denkt*	„Was hältst du von unserer neuen Trainerin?" – „Ich finde sie sehr sympathisch. Und mir gefällt, dass sie frei von der Leber weg redet."
etwas aus der **Luft** greifen *(ugs.)*	*etwas frei erfinden; etwas behaupten, was in Wirklichkeit gar nicht existiert*	Angeklagter: „Wie können Sie behaupten, dass ich den Schmuck gestohlen habe? Diese Geschichte ist völlig aus der Luft gegriffen." Richter: „Wir haben Beweise. Es wäre besser, wenn Sie Ihre Tat gestehen."
Es herrscht dicke **Luft**. *(ugs.)*	*Es gibt Streit.*	„Was ist los? Warum sehen mich deine Eltern so seltsam an?" – „Das hat nichts mit dir zu tun. Bei uns herrscht im Moment dicke Luft. Kurz bevor du gekommen bist, haben sie mal wieder gestritten."
jemand **lügt** wie gedruckt *(ugs.)*	*jemand sagt ständig die Unwahrheit*	Toni: „Ich bin sehr enttäuscht von Sarah. Sie hat mich belogen." Lina: „Ich hatte dich gewarnt. Alle wissen, dass sie lügt wie gedruckt."
jemanden / etwas **madig** machen *(sal.)*	*über jemanden / etwas schlecht sprechen*	„Hast du die neue Wohnung von Obermeiers schon gesehen?" – „Nein, aber Frau Hauser hat mir erzählt, dass sie sehr klein ist und nicht zentral genug liegt." – „Das stimmt gar nicht. Aber Frau Hauser macht ja alles madig."
jemandem nach dem **Mund** reden	*jemandem immer zustimmen und das sagen, was er gern hören will*	„Kollegin Schulze ist schlau, sie sagt dem Chef immer, was er hören will." – „Ja, das regt mich auf! Ständig redet sie ihm nach dem Mund."

1 **Was meint das Gleiche? Verbinden Sie.**

1 jemandem nach dem Mund reden
2 die Kirche im Dorf lassen
3 jemanden durch den Kakao ziehen
4 jemandem etwas an den Kopf werfen
5 frei von der Leber weg reden
6 etwas aus der Luft greifen

A etwas vernünftig betrachten
B frei und offen sprechen
C etwas Freches zu jemandem sagen
D jemandem immer zustimmen
E etwas frei erfinden
F sich über jemanden lustig machen

2 **Ergänzen Sie die Verben in der richtigen Form.**

lassen ● werfen ● sein ● greifen ● ziehen ● lügen

1. „Übertreib nicht! _____*Lass*_____ die Kirche im Dorf!"

2. „Bernd sprach nicht viel mit uns. Er _____ kurz angebunden."

3. „Der Abend war sehr lustig! Wir haben über einige Freunde gesprochen." – „Sag doch lieber: Ihr habt sie durch den

   Kakao _____."

4. „Sag mal, was du mir gestern über Lara erzählt hast, ist das wirklich wahr? Oder hast du das nur aus der Luft

   _____?"

5. „Ich bin neugierig, was Herr Richter morgen sagt." – „Ist doch klar: Er wird _____ wie gedruckt, wie

   immer!"

6. „Mit Jana rede ich nicht mehr. Sie hat mir gestern viele schlimme Dinge an den Kopf _____."

3 **Lösen Sie das Rätsel.**

1. „Seit ein paar Tagen gibt es im Büro täglich Streit.

   Es herrscht dicke _____."

2. „Uwe und Kai glaube ich kein Wort mehr.

   Sie _____ wie gedruckt."

3. „Wozu gehst du eigentlich ins Theater?

   Nur, um danach die Schauspieler _____ zu machen?"

4. „Hast du ein Problem?

   Bei mir kannst du frei von der _____ weg reden."

5. „Du musst deinem Onkel nicht immer nach dem _____ reden."

Lösungswort: Kennen Sie auch einige deutsche Sprichwörter? Eines lautet:

   „_____ haben kurze Beine."

den **Nagel** auf den Kopf treffen (ugs.) 	*das Wesentliche einer Sache erkennen und sagen*	„Ich diskutiere gern mit Lutz. Er weiß sehr viel und kann es anderen auch gut erklären." – „Das stimmt. Und mit dem, was er sagt, trifft er meistens den Nagel auf den Kopf."
jemandem etwas auf die **Nase** binden (ugs.)	*jemandem etwas sagen*	„Stimmt es, dass Karla jetzt mit dem früheren Freund von Uta zusammen ist?" – „Ja, das ist richtig. Aber das werde ich Uta nicht auf die Nase binden."
sich in die **Nesseln** setzen (ugs.)	*sich durch eine Handlung oder Äußerung in eine unangenehme Situation bringen*	„Oh, jetzt habe ich mich bei meiner Kollegin Ines in die Nesseln gesetzt!" – „Wieso?" – „Ich habe sie gefragt, ob sich der Abteilungsleiter wegen seiner Freundin scheiden lässt." – „Na und?" – „Ines ist die Freundin!"
ganz **Ohr** sein (ugs.)	*sehr aufmerksam zuhören*	Silke: „Hast du gehört, was ich gerade gesagt habe?" Bernd: „Ja, natürlich. Ich bin ganz Ohr." Silke: „Sehr gut!"
auf den **Ohren** sitzen (sal.)	*nicht zuhören, was jemand sagt*	Bernd: „Warum fragst du eigentlich?" Silke: „Na, oft genug sitzt du auf den Ohren, wenn ich dir etwas erzähle."
Öl ins Feuer gießen (ugs.)	*durch Äußerungen oder Taten ein Problem noch verstärken; eine umstrittene Aussage unterstützen*	Vater: „Wir brauchen unbedingt ein neues Auto." Mutter: „Nein, viel wichtiger sind neue Möbel." Tochter: „Das finde ich auch." Vater: „Du musst natürlich wieder Öl ins Feuer gießen!"
jemandes wunder **Punkt**	*das Thema, über das jemand nicht gern spricht*	„Frag Stefan bitte nicht nach seinem Studium." – „Warum nicht?" – „Er hat seine Prüfung wieder nicht bestanden, und das ist sein wunder Punkt."
jemandem **Rede** und Antwort stehen	*jemandem erklären, warum man etwas getan hat*	„Stimmt es, dass Beate auch bei dir Schulden hat?" – „Ja, jetzt muss sie ihren Eltern Rede und Antwort stehen und sie bitten, ihre Schulden zu bezahlen."
jemandem **Salz** in / auf die Wunde streuen	*jemanden eine unangenehme Sache durch eine Äußerung noch schlimmer empfinden lassen*	„Es tut mir so leid, dass ich Carola nach Julian gefragt habe." – „Du konntest ja nicht wissen, dass er sich von ihr getrennt hat." – „Nein, aber mit meiner Frage habe ich ihr Salz in die Wunde gestreut. Die Ärmste!"
jemanden auf die **Schippe** nehmen (sal.) 	*sich über jemanden lustig machen; einen Scherz mit jemandem machen*	Moritz: „Hast du schon gehört, was heute in der Stadt los war?" Max: „Nein, was ist denn passiert?" Moritz: „Vor dem Rathaus standen fünf Löwen, sie sind aus dem Zoo ausgebrochen." Max: „Na, du willst mich wohl auf die Schippe nehmen?" Moritz: „Ja, April! April!"

1 Alles hat ein Ende ... die Redewendung auch! Welches Verb passt?

1. jemandem Rede und Antwort _____*stehen*_____

2. Öl ins Feuer _____

3. jemandem Salz in die Wunde _____

4. jemanden auf die Schippe _____

5. auf den Ohren _____

stehen ● bringen ● sagen ● fragen
schütten ● gießen ● tropfen ● eingießen
bringen ● streuen ● werfen ● reiben
binden ● nehmen ● laden ● heben
liegen ● schlafen ● sitzen ● laufen

2 Welches Substantiv passt? Kreuzen Sie an.

1. Wer sich durch eine Äußerung in eine peinliche Situation bringt, der setzt sich in die

☐ Nadeln   ☒ Nesseln   ☐ Nudeln.

2. Das Thema, über das jemand nicht gern spricht, ist sein wunder

☐ Punkt   ☐ Platz   ☐ Patient.

3. Wer nicht zuhört, was jemand sagt, der sitzt auf den

☐ Originalen   ☐ Orten   ☐ Ohren.

4. Wer mit einer Äußerung das Wesentliche sagt, der trifft den Nagel auf den

☐ Kasten   ☐ Kopf   ☐ Kragen.

5. Wer aufmerksam zuhört, der ist ganz

☐ Ober   ☐ Ohr   ☐ Ofen.

3 Welche Redewendung passt? Ergänzen Sie in der richtigen Form.

sich in die Nesseln setzen ● ganz Ohr sein ● jemanden auf die Schippe nehmen ● auf den Ohren sitzen ● jemandem Rede und Antwort stehen ● jemandem etwas auf die Nase binden

Es war Abend, und der Opa wollte seinen Enkelkindern Ute und Jonas eine Gute-Nacht-Geschichte erzählen. Die

Kinder saßen in ihren Betten und hörten ihm sehr aufmerksam zu, sie _____ .

„Das ist die Geschichte vom kleinen Bären Willi", begann der Opa. „Wie heißt das Bärchen?", wollte Jonas wissen.

„Sag mal, Jonas, _____ ?", fragte Ute. „Willi heißt es!"

„Genau", stimmte der Opa zu, „und eines Tages sagte Willi zu seiner Mama: ‚Heute gehe ich in die weite Welt.'

‚Willst du _____ , Kleiner?', fragte die Mama. ‚Nein, die Welt draußen ist

viel schöner als unsere kleine Welt hier am See', gab der kleine Bär zur Antwort. ‚Wer hat dir das denn erzählt?',

wollte seine Mama wissen. Willi wollte es nicht sagen. Er dachte: ‚Das _____ !'

‚Das war bestimmt dein Papa, er muss mir gleich _____ . Und du bleibst

hier, geh nicht weg!', warnte die Bärenmama. Aber Willi war sehr neugierig und ging trotzdem fort. Aber damit

_____ ...

Hört ihr mir überhaupt noch zu?", fragte der Opa. Aber die Kinder waren schon eingeschlafen.

von den **Socken** sein (*sal.*)	*(angenehm) überrascht sein*	„Weißt du schon das Neueste?" – „Nein, was denn?" – „Udo hat in einer Quizsendung 125.000 € gewonnen." – „Das ist ja toll, ich bin von den Socken!"
viel **Staub** aufwirbeln (*ugs.*)	*große Aufregung verursachen*	Aus den Nachrichten: „Gestern ist in einem Hotel in München ein Mord passiert. Als mögliche Täterin wurde eine prominente Schauspielerin verhaftet. Dieser Fall wird noch viel Staub aufwirbeln."
sich im **Ton** vergreifen	*jemandem gegenüber frech, unhöflich sprechen*	„Darf Michael in den Ferien mit uns an die Nordsee fahren?" – „Nein, seine Eltern erlauben es nicht. Er hat sich ihnen gegenüber im Ton vergriffen."
wie ein **Wasserfall** reden (*ugs.*)	*viel und ohne Pause sprechen*	„Am Wochenende kommt meine Tante zu Besuch." – „Magst du sie nicht?" – „Doch, aber sie redet wie ein Wasserfall. Kein anderer kommt bei ihr zu Wort!"
ein **Wink** mit dem Zaunpfahl (*ugs.*)	*ein sehr deutlicher Hinweis*	„Wohin fahrt ihr nächste Woche?" – „Die Stadt wird wegen ihrer Schönheit und ihrer geographischen Lage auch Elbflorenz genannt. Jetzt rate mal, wie die Stadt heißt." – „Na, das war ja ein Wink mit dem Zaunpfahl. Das kann nur Dresden sein."
jemandem das **Wort** aus dem Mund nehmen (*ugs.*)	*etwas äußern, was eine andere Person auch gerade sagen wollte*	Anna: „Ich finde, der neue Arzt macht einen sehr guten Eindruck." Martha: „Du nimmst mir das Wort aus dem Mund! Das wollte ich auch gerade sagen."
jemandem ins **Wort** fallen (*ugs.*)	*jemanden unterbrechen, während er spricht*	„Es macht keinen Spaß, sich mit Nora zu unterhalten." – „Warum denn nicht?" – „Man kann nie ausreden, sie fällt einem immer ins Wort."
jemandem jedes **Wort** einzeln aus der Nase ziehen müssen (*ugs.*)	*nur langsam und schwer Informationen von jemandem erhalten*	„Wie geht es denn Frau Berger und dem Baby?" – „Ich glaube, gut. Aber du kennst ja Herrn Berger, er spricht nicht viel. Ich musste ihm jedes Wort einzeln aus der Nase ziehen."
seine **Zunge** im Zaum halten (*ugs.*)	*vorsichtig in seinen Äußerungen sein; etwas nicht verraten*	„Was ich dir über Axel erzählt habe, muss bitte unter uns bleiben. Ich hoffe, du kannst deine Zunge im Zaum halten!"
sich auf die **Zunge** beißen (*ugs.*)	*etwas nicht sagen; eine Äußerung im letzten Moment unterdrücken*	„Fast hätte ich meiner Mutter gestern am Telefon verraten, welche Überraschung wir für ihren nächsten Geburtstag vorbereiten. Ich konnte mir gerade noch auf die Zunge beißen."

1 | Welches Substantiv passt?

1. sich im _____Ton_____ vergreifen

2. ein Wink mit dem _____

3. von den _____ sein

4. sich auf die _____ beißen

5. wie ein _____ reden

~~Ton~~ ● Wort ● Lied ● Text
Balken ● Zaunpfahl ● Zauberstab ● Pfahl
Socken ● Schuhen ● Stiefeln ● Strümpfen
Finger ● Zunge ● Lippen ● Zähne
Wasserball ● Wasserbett ● Wasserfall ● Wassereimer

2 | Welche Redewendung meint das Gleiche?

1 Dieser Mann redet ohne Pause.

2 Die Nachricht verursachte große Aufregung.

3 Sie war vorsichtig in ihren Äußerungen.

4 Du sagst, was ich auch gerade sagen wollte.

5 Unterbrich meine Rede nicht!

A seine Zunge im Zaum halten

B jemandem ins Wort fallen

C wie ein Wasserfall reden

D viel Staub aufwirbeln

E jemandem das Wort aus dem Mund nehmen

3 | Formulieren Sie die Sätze aus Aufgabe 2 mit der passenden Redewendung.

1. _____Dieser Mann redet wie ..._____

2. _____

3. _____

4. _____

5. _____

4 | Sagen Sie es mit einer Redewendung.

1. Was? Karen und Ulf haben geheiratet? **Da bin ich angenehm überrascht**!

_____

2. Wenn man mit seinen Eltern diskutiert, **sollte man nie frech sprechen**.

_____

3. Peter spricht nicht viel. **Von ihm bekommt man nur schwer Informationen**.

_____

4. Mit manchen Leuten kann man nicht gut reden, weil sie **einen ständig unterbrechen**.

_____

5. Der Moderator gab der Kandidatin in der Quizshow **einen sehr deutlichen Hinweis**.

_____

sich wie ein **Aal** winden	*versuchen, sich aus einer schwierigen Situation zu befreien (verbal)*	„Was hat denn der Vorsitzende eures Vereins zu den Vorwürfen wegen Korruption gesagt?" – „Er hat sich wie ein Aal gewunden und versucht, andere für seine Fehler verantwortlich zu machen."
mit einem **Affenzahn** fahren *(ugs.)*	*mit sehr hoher Geschwindigkeit fahren; rasen*	„Heiko hat beinahe einen Unfall gehabt!" – „Was war denn los?" – „Er ist an der Ampel bei Grün losgefahren. Da fuhr von links ein Pkw mit einem Affenzahn auf ihn zu. Im letzten Moment konnte Heiko noch bremsen."
sich wie ein **Elefant** im Porzellanladen benehmen *(ugs.)*	*sich in einer Situation sehr ungeschickt verhalten*	„Wie war eure Abteilungsversammlung?" – „Gut. Nur Robert hat sich mit seinen Kommentaren mal wieder wie ein Elefant im Porzellanladen benommen und so den Abteilungsleiter sehr verärgert."

eine lahme **Ente** sein *(ugs.)*	*eine Person ohne Temperament; ein sehr langsames Fahrzeug*	„Ich rufe Leo an, vielleicht kommt er heute mit in die Stadt." – „Muss das sein? Er ist eine lahme Ente. Und ich habe keine Lust auf einen langweiligen Abend." – „Das sagst ausgerechnet du! Wenn wir mit Freunden unterwegs sind, bist du auch manchmal den ganzen Abend stumm wie ein Fisch."
stumm wie ein **Fisch** sein *(ugs.)*	*nichts sagen*	
jemanden stört die **Fliege** an der Wand *(ugs.)*	*jemand ärgert sich über jede Kleinigkeit*	Oma: „Wie ist denn deine neue Freundin?" David: „Sie ist sehr schön und auch ganz nett. Aber manchmal hat sie schlechte Laune und dann stört sie die Fliege an der Wand." Oma: „Also weißt du, mir war deine letzte Freundin sehr sympathisch." David: „Ja, sie war sehr lieb. Sie konnte keiner Fliege etwas zuleide tun."
keiner **Fliege** etwas zuleide tun *(ugs.)*	*gutmütig sein; niemandem Schaden zufügen können*	
Sei kein **Frosch**! *(ugs.)*	*Sei nicht ängstlich! / Sei kein Spielverderber!*	„Kommst du mit Volleyball spielen?" – „Ach nein, ich muss noch die Wohnung aufräumen. Meine Mutter kommt um 18 Uhr von der Arbeit." – „Komm, sei kein Frosch! Du bist auf jeden Fall vorher zu Hause."
wo sich **Fuchs** und Hase gute Nacht sagen *(ugs.)*	*an einem sehr einsamen, abgelegenen Ort*	„Ulrike, hast du die Adresse von Max? Wir wollen ihn gern besuchen. Komm doch auch mit!" – „Ich habe seine Adresse, aber ich komme nicht mit. Es ist mir einfach zu weit. Er wohnt da, wo sich Fuchs und Hase gute Nacht sagen."
Danach kräht kein **Hahn** (mehr). *(sal.)*	*Das interessiert niemanden (mehr).*	„Glaubst du, dass Herr Schulze sein riesiges Vermögen immer ganz ehrlich verdient hat?" – „Ich weiß es nicht. Danach kräht heute auch kein Hahn mehr."

1 Was ist richtig? Kreuzen Sie an.

1. stumm wie ein [X] Fisch [ ] Hund [ ] Bär   sein

2. wo sich Fuchs und Hase [ ] verstecken [ ] gute Nacht sagen [ ] befinden

3. sich wie [ ] ein Aal [ ] eine Schlange [ ] eine Raupe   winden

4. Sei kein [ ] Hase [ ] Frosch [ ] Fuchs!

5. sich wie ein Elefant im [ ] Zoo [ ] Porzellanladen [ ] Urwald   benehmen

2 Ergänzen Sie das passende Substantiv.

> Affenzahn ● Fliege ● Hase ● Fisch ● Fuchs ● Fliege

1. Er fuhr mit einem _____Affenzahn_____ , sodass er nicht rechtzeitig bremsen konnte, als die Ampel auf Rot

   wechselte.

2. Maximilian stellte Eva seinen Eltern vor. Sie waren nicht sehr freundlich zu ihr, und Eva war stumm wie ein

   _____ .

3. Familie Stein hat genug vom Lärm in der Großstadt und zieht aufs Land. Sie wollen dort leben, wo sich

   _____ und _____ gute Nacht sagen.

4. Normalerweise tat Herr Friedrich keiner _____ etwas zuleide. Aber als der Nachbarsjunge einen

   Stein auf seine Katze geworfen hatte, gab er ihm eine Ohrfeige.

5. Frau Berg war Autorin und eigentlich sehr nett und lustig. Aber wenn sie ein neues Buch schrieb, störte sie sogar

   die _____ an der Wand.

3 Lösen Sie das Rätsel.

1. Als Jugendliche benahm sich Sabine Neumann oft

   wie ein _____ im Porzellanladen.

2. Nach dem Unfall wand er sich wie ein _____. Doch

   er war schuldig und musste eine hohe Strafe bezahlen.

3. „Roman soll Oskar geschlagen haben? Das glaube ich nicht.

   Er würde keiner _____ etwas zuleide tun."

4. Obwohl bei dem Fest alle sehr freundlich zu ihm waren, war er

   stumm wie ein _____.

5. „Erinnerst du dich noch an den Doping-Skandal?" – „Ja, aber danach

   kräht heute kein _____ mehr."

6. Im Vergleich zu einem Transrapid ist ein Regionalzug

   eine lahme _____.

sehen / wissen, wie der **Hase** läuft (ugs.)	*sehen / wissen, wie eine Sache sich entwickeln wird*	Philipp: „Papa, du hattest recht, Alex ist wieder mit seiner Frau zusammen. Woher wusstest du, dass er zu ihr zurückgehen würde?" Vater: „Na, ich weiß in solchen Dingen eben, wie der Hase läuft. Außerdem kenne ich meinen Cousin gut."
da liegt der **Hase** im Pfeffer (ugs.)	*da liegt das Problem; das ist die eigentliche Ursache*	Gespräch zwischen Eltern: „Was ist denn mit Jens los? Er redet kaum etwas und isst nichts. Hat er Probleme in der Schule?" – „Nein, seine Freundin hat Schluss gemacht." – „Ah, da liegt der Hase im Pfeffer."
Mein Name ist **Hase**. (ugs.)	*Davon weiß ich nichts.*	„Weißt du, dass Karin zum Ende des Jahres gekündigt hat?" – „Nein, keine Ahnung. Mein Name ist Hase."
das **Huhn**, das goldene Eier legt, schlachten (geh.)	*die Grundlage der eigenen finanziellen Existenz zerstören*	Polizist: „Frau X, Sie werden verdächtigt, ihren Partner umgebracht zu haben." Frau X: „Glauben Sie das wirklich? Er war Millionär und hat mir teure Geschenke gemacht. Warum sollte ich das Huhn, das goldene Eier legte, schlachten?"
mit jemandem (noch) ein **Hühnchen** zu rupfen haben (ugs.)	*mit jemandem noch etwas (eine Streitigkeit) klären müssen*	„Heute habe ich zufällig Marie in der Stadt getroffen. Sie wohnt jetzt wieder bei ihren Eltern." – „Dann rufe ich gleich morgen dort an. Ich habe mit ihr noch ein Hühnchen zu rupfen. Sie schuldet mir seit Monaten 100 Euro."
Da lachen (ja) die **Hühner**! (ugs) 	*Das ist lächerlich!*	Jonathan: „Hey, Sylvia, dieses Jahr nehme ich am Stadtmarathon teil. Mach doch auch mit!" Sylvia: „Was? Da lachen ja die Hühner! In Sport hatte ich in der Schule immer eine Vier. Und du warst auch nicht viel besser, oder?"
mit etwas keinen **Hund** hinter dem Ofen hervorlocken können (sal.)	*mit etwas niemanden begeistern*	„Hier schau mal, das Kreuzworträtsel, da kann man einen Preis gewinnen!" – „Was denn?" – „Einen großen Regenschirm." – „Na, damit kann man ja keinen Hund hinter dem Ofen hervorlocken."
wie **Hund** und Katze sein (ugs.)	*sich immer streiten*	„Wir haben eine Einladung zur Hochzeit von Rita und Sandro bekommen." – „Was, die beiden heiraten? In der Schule waren sie doch immer wie Hund und Katze."
auf den **Hund** kommen (ugs.)	*in schlechten Verhältnissen leben müssen*	„Gibt es das kleine Café noch, direkt an der Elbe? Die Eierschecken* schmeckten dort besonders lecker." – „Nein, ein großer Brand vor ein paar Jahren hat den Besitzer finanziell ruiniert. Er und seine Familie sind auf den Hund gekommen." * Kuchenspezialität in Dresden
wie die **Katze** um den heißen Brei herumschleichen (ugs.)	*beim Reden nicht auf den eigentlichen Kern der Sache kommen*	Vater: „Schleich nicht wie die Katze um den heißen Brei herum! Sag mir endlich, was du möchtest." Tochter: „Also gut, ich möchte in den Sommerferien mit Jörg an die Nordsee fahren."

1 Was bedeutet die Redewendung? Kreuzen Sie an.

1. Da lachen ja die Hühner!

☐ den Hühnern Witze erzählen ☐ die Hühner kitzeln ☒ etwas ist lächerlich

2. da liegt der Hase im Pfeffer

☐ das Bett des Hasen ☐ die Ursache eines Problems ☐ ein scharfes Essen

3. auf den Hund kommen

☐ in schlechten Verhältnissen leben müssen ☐ auf einem Hund reiten ☐ Hunde gern haben

4. Mein Name ist Hase.

☐ Ich heiße Hase. ☐ Davon weiß ich nichts. ☐ Ich weiß alles.

2 Was meint das Gleiche? Es gibt immer zwei Möglichkeiten.

> ● A wie die Katze um den heißen Brei herumschleichen
> ● B das Huhn, das goldene Eier legt, schlachten ● C wie Hund und Katze sein

1. Marie und Andreas streiten sich ständig. _C_

2. Er hatte seine Firma ruiniert und damit seine finanzielle Grundlage zerstört. _____

3. Alle regten sich auf, weil Frau Heine beim Reden nie auf den Kern der Sache kam. _____

4. Onkel Friedrich finanziert seinem Neffen Gerd das Studium. Obwohl er oft ungerecht zu Gerd ist, streitet dieser nie mit ihm. Denn damit würde er sein Studium gefährden. _____

5. Der Geschäftsführer redete lange, bevor er endlich über die Probleme der Firma sprach. _____

6. Der Laden ist geschlossen. Die beiden Besitzer stritten sich ständig um jede Kleinigkeit. _____

3 Sagen Sie es mit einer Redewendung.

1. Er ist ein erfahrener Anwalt. Er **weiß, wie sich diese Sache entwickelt**.

_____

2. Lehrer zu einem Schüler: „Mit dir habe ich **noch etwas zu klären**."

_____

3. Mutter zu ihren Kindern: „Warum müsst ihr **euch immer streiten**?"

_____

4. Viele glauben, dass der alte Liedermacher mit seiner neuen CD **niemanden mehr begeistern kann**.

_____

5. Lara **redete viel, ohne zu sagen, was sie eigentlich wollte**.

_____

6. Herr Baier war früher sehr reich, aber jetzt **muss er in schlechten Verhältnissen leben**.

_____

die **Katze** im Sack kaufen *(ugs.)*	*etwas kaufen / nehmen, ohne die Qualität zu kennen*	Ein Ehepaar im Gespräch: „Du willst also unbedingt dieses Auto kaufen? Mach doch zuerst einmal eine Probefahrt!" – „Die habe ich gestern schon gemacht. Denkst du vielleicht, ich kaufe die Katze im Sack?"
Das geht auf keine **Kuhhaut**! *(sal.)*	*Das geht zu weit! / Das ist unerhört!*	„Die Probleme mit den Nachbarn werden immer schlimmer. Das geht bald auf keine Kuhhaut mehr!"
Jemandem ist eine **Laus** über die Leber gelaufen. *(ugs.)*	*ohne erkennbaren Grund schlechter Laune sein; jemand ärgert sich (über Kleinigkeiten)*	Karin: „Was ist denn mit Martha los? Hat sie schlechte Laune?" Volker: „Ich weiß auch nicht, welche Laus ihr über die Leber gelaufen ist. Aber sie ärgert sich schon seit ein paar Tagen über alles."
wie die **Made** im Speck leben *(ugs.)*	*im Reichtum und Überfluss leben*	Karin: „Eigentlich geht es Martha doch richtig gut. Sie bekommt von ihren Eltern alles, was sie will." Volker: „Ja, das stimmt. Sie lebt wirklich wie die Made im Speck."
Da beißt die **Maus** keinen Faden ab! *(ugs.)*	*Daran wird nichts (mehr) geändert!*	In der Schule: „Herr Lorenz, warum machen wir unsere Klassenreise nicht nach Berlin?" – „Wir fahren dieses Jahr nach Leipzig. Da beißt die Maus keinen Faden ab!"
eine **Meise** haben *(sal.)*	*verrückt sein; nicht bei klarem Verstand sein*	„Stimmt es, dass sich deine Eltern scheiden lassen?" – „Wer hat dir denn das erzählt?" – „Euer Nachbar." – „Dem kannst du kein Wort glauben, der hat eine Meise!"
aus einer **Mücke** einen Elefanten machen *(ugs.)*	*aus einer Kleinigkeit eine große Sache / ein großes Problem machen*	„Ina hat mir erzählt, dass du die Hauptrolle in einem Film spielen wirst. Das ist ja toll!" – „Da hat Ina mal wieder aus einer Mücke einen Elefanten gemacht. Ich bin nur zu einem Casting für eine kleine Nebenrolle gegangen."
ein **Pechvogel** sein *(ugs.)*	*oft kein Glück haben; dauernd vom Pech verfolgt sein*	„Birgits Mann ist wirklich ein Pechvogel!" – „Warum?" – „Letzten Monat hat er seinen Geldbeutel verloren, und jetzt hat er sich ein Bein gebrochen."
wie ein **Pferd** arbeiten *(ugs.)*	*sehr viel und hart arbeiten*	„Ich war in Nicaragua, ich habe bei der Kaffee-Ernte geholfen." – „Das war sicher interessant?" – „Ja, aber auch sehr anstrengend. Ich habe wie ein Pferd gearbeitet."
auf das falsche **Pferd** setzen *(ugs.)*	*sich irren; sich für etwas Falsches entscheiden*	Gespräch zwischen Enkel und Großvater: „Opa, hast du eigentlich früher immer alles richtig gemacht?" – „Oh, nein. Ich habe auch oft auf das falsche Pferd gesetzt."

1 Was meint das Gleiche? Verbinden Sie.

1 Da beißt die Maus keinen Faden ab!

2 wie ein Pferd arbeiten

3 eine Meise haben

4 die Katze im Sack kaufen

5 aus einer Mücke einen Elefanten machen

6 wie die Made im Speck leben

A verrückt sein

B übertreiben

C Daran ist nichts zu ändern!

D im Luxus leben

E sehr schwere Arbeit machen

F etwas nehmen, ohne es zu prüfen

2 Kreuzen Sie die richtige Präposition an.

a) Das geht 10 auf 50 an 20 unter keine Kuhhaut!

b) 68 aus 11 mit 75 zu einer Mücke einen Elefanten machen

c) Jemandem ist eine Laus 20 in 39 über 41 auf die Leber gelaufen.

d) 88 gegen 40 auf 19 für das falsche Pferd setzen

e) wie die Made 15 am 34 unterm 27 im Speck leben

f) die Katze 30 im 16 zum 60 am Sack kaufen

Haben Sie alles richtig? a) ☐ + b) ☐ + c) ☐ + d) ☐ – e) ☐ – f) ☐ = 100

3 Welche Redewendung passt? Ergänzen Sie in der richtigen Form.

> ein Pechvogel sein ● wie ein Pferd arbeiten ● auf das falsche Pferd setzen ● Das geht auf keine Kuhhaut!
> ● Da beißt die Maus keinen Faden ab! ● aus einer Mücke einen Elefanten machen ● eine Meise haben

Erik hat kein Glück *oder* Monolog eines ewigen Studenten

Immer entscheide ich mich für das Falsche. Ich _____. Dabei arbeite ich

seit vielen Jahren hart für mein Studium. Man kann sagen: Ich _____.

Zuerst habe ich vier Semester Maschinenbau studiert, danach drei Semester Psychologie. Das hat mir aber nicht

mehr gefallen, und ich habe noch zwei Jahre Sportmedizin und fünf Semester Geschichte studiert. Jetzt schreibt

mir die Universitätsverwaltung, ich sei zwangsexmatrikuliert! Sie meinen, ich habe schon zu lange studiert, und

man könne keinen Berufswunsch erkennen. Das geht zu weit! _____!

Die sind ja verrückt, die _____!

Ich habe mich natürlich gleich am selben Tag beschwert, aber sie haben mir gesagt, ihre Entscheidung steht

fest. _____! Nun stehe ich dumm da, nur weil manche Leute aus einer

Kleinigkeit ein großes Problem machen, nur weil sie _____. Warum habe

ich bloß kein Glück? Warum _____?

mit jemandem **Pferde** stehlen können (ugs.)	sich völlig auf jemanden verlassen können	„Meinst du, dass man sich auf Hans verlassen kann?" – „Vollkommen. Mit ihm kannst du Pferde stehlen."
wie ein begossener **Pudel** dastehen (ugs.)	erschrocken / traurig / enttäuscht / beschämt sein	„Warum stehst du da wie ein begossener Pudel?" – „Mama hat gerade mit mir geschimpft, weil ich wieder zu spät nach Hause gekommen bin."
wie ein **Rohrspatz** schimpfen (ugs.)	laut und wütend schimpfen	„Heute ist im Supermarkt eine ältere Dame gestürzt, weil der Fußboden nass war." – „Hat sie sich verletzt?" – „Nein, zum Glück nicht. Aber sie hat geschimpft wie ein Rohrspatz."
Perlen vor die **Säue** werfen (sal.)	jemandem etwas geben oder für jemanden etwas tun, das er nicht schätzt	„Was schenkst du Nora zum Geburtstag?" – „Ich habe ihr eine Konzertkarte gekauft." – „Ich glaube, da wirfst du Perlen vor die Säue. Sie interessiert sich doch nur für Kino und Fußball."

das schwarze **Schaf** sein (ugs.)	Außenseiter sein; in einer Gemeinschaft ständig unangenehm auffallen	„Wie geht es denn Rainers Bruder?" – „Ach, er ist in der Familie das schwarze Schaf. Er musste schon drei Mal die Schule wechseln."
sein(e) **Schäfchen** ins Trockene bringen (ugs.)	sich einen (finanziellen) Vorteil verschaffen	„Hast du noch Kontakt zu Klaus?" – „Nein, ich bin sehr enttäuscht von ihm. Er denkt nur daran, wie er seine Schäfchen ins Trockene bringen kann."
eine **Schlange** am Busen nähren (geh.)	jemandem vertrauen / Gutes tun, der einem später schaden wird	Gespräch im Café: „Hast du schon gehört, dass der Enkel von Eva jetzt bei ihr lebt?" – „Das ist doch gut." – „Ich fürchte, dass sie eine Schlange am Busen nährt. Er hat keine Lust zu arbeiten und will nur ihr Geld."
jemanden zur **Schnecke** machen (sal.)	jemanden heftig (eventuell beleidigend) kritisieren; mit jemandem schimpfen	Vater: „Wo ist denn das Auto?" Mutter: „Das hat Wolfgang genommen. Er wollte nur kurz zu seinem Freund fahren." Vater: „Ich habe ihm gesagt, er darf noch nicht alleine fahren. Na, warte, den mache ich zur Schnecke!" Zwei Stunden später: Vater: „Ich habe dir verboten, allein zu fahren! Du hast erst seit ein paar Tagen deinen Führerschein." Wolfgang: „Bitte, Papa, schimpf nicht, ich bin auch nur im Schneckentempo gefahren!"

im **Schneckentempo**	sehr langsam	
Das pfeifen die **Spatzen** von den Dächern. (ugs.)	Das wissen schon alle.	„Der Abteilungsleiter will nächstes Jahr in Rente gehen. Aber das sage ich nur dir. Bitte erzähle es nicht weiter." – „Das weiß ich seit Wochen, das pfeifen ja schon die Spatzen von den Dächern."

1 Alles hat ein Ende ... die Redewendung auch! Welches Verb passt?

1. eine Schlange am Busen _____*nähren*_____

2. Perlen vor die Säue _____

3. jemanden zur Schnecke _____

4. wie ein Rohrspatz _____

5. seine Schäfchen ins Trockene _____

n̶ä̶h̶r̶e̶n̶ ● töten ● halten ● füttern
tragen ● geben ● werfen ● fahren
treten ● bringen ● machen ● zaubern
singen ● schimpfen ● fliegen ● essen
bringen ● tragen ● führen ● fahren

2 Ergänzen Sie die Sätze.

S̶c̶h̶n̶e̶c̶k̶e̶ ● Pferde ● Spatzen ● Schaf ● Schneckentempo ● Pudel

1. „Ich muss ganz schnell meine Arbeit erledigen. Der Chef hat mich schon zur ____*Schnecke*____ gemacht."

2. „Meine Tante Inge ist das schwarze _____ in unserer Familie. Aber ich mag sie sehr gern."

3. „Erinnerst du dich an deinen Großvater?" – „Ja, er war sehr zuverlässig und hilfsbereit. Mit ihm konnte man

_____ stehlen."

4. Lehrer: „Jungs, was ist denn los? Erst schlagt ihr euch auf dem Schulhof und nun steht ihr da wie begossene

_____."

5. Auf der Radtour: „Martin, fahr schneller! Wenn wir weiter in diesem _____ fahren, erreichen wir

unser Ziel heute nicht mehr."

6. „Stell dir vor, die Chefin ist schwanger!" – „Das weiß ich schon seit vier Wochen, das pfeifen ja schon die

_____ von den Dächern."

3 Welche Redewendung meint das Gleiche?

1. In jeder Familie gibt es einen Außenseiter.

2. Jahrelang hat sie ihrem Nachbarn geholfen, trotzdem hat er ihren Schmuck gestohlen.

3. Nach dem Streit mit seiner Verlobten war er enttäuscht.

4. Auf Lucia kannst du dich immer verlassen.

A. mit jemandem Pferde stehlen können

B. das schwarze Schaf sein

C. eine Schlange am Busen nähren

D. wie ein begossener Pudel dastehen

4 Formulieren Sie die Sätze aus Aufgabe 3 mit der passenden Redewendung.

1. _____

2. _____

3. _____

4. _____

besser den **Spatz** in der Hand als die Taube auf dem Dach (ugs.)	*jemand soll mit dem zufrieden sein, was er hat*	„Die tolle Wohnung in der Lessingstraße kann ich mir leider nicht leisten." – „Deine Wohnung ist doch auch sehr schön und nicht so teuer. Besser den Spatz in der Hand als die Taube auf dem Dach."
den **Stier** bei den Hörnern packen (ugs.)	*eine schwierige Aufgabe oder Situation mutig in Angriff nehmen*	„Meine Mutter packt immer den Stier bei den Hörnern." – „Wie meinst du das?" – „Sie ist sehr tüchtig und hat auch vor schwierigen Problemen keine Angst. So hat sie bisher alles geschafft."
jemanden zum **Sündenbock** machen (ugs.)	*jemandem die Schuld an etwas geben (obwohl er vielleicht unschuldig ist)*	„Norbert tut mir leid. In seiner Familie gibt es viele Probleme, und immer gibt man ihm die Schuld daran. Stets wird er zum Sündenbock gemacht."
Hier geht es zu wie in einem **Taubenschlag**! (ugs.)	*Hier kommen und gehen viele Leute, man hat keine Ruhe.*	Im Büro: „Hier geht es zu wie in einem Taubenschlag! Ich kann mich überhaupt nicht konzentrieren und bis heute Abend muss der Bericht fertig sein!"
ein hohes **Tier** sein (ugs.)	*eine wichtige Person sein; eine hohe (meist öffentliche) Position haben*	„Hast du Sören mal wieder gesehen?" – „Nein, aber ich habe gehört, er soll in Berlin ein hohes Tier in einem Ministerium sein."
ein **Unglücksrabe** sein (ugs.)	*eine Person, die oft kein Glück hat; jemand, der viel Pech hat*	„Hast du heute schon die Zeitung gelesen? In Helmuts Geschäft gab es einen Einbruch, und die Diebe haben 3000 Euro gestohlen." – „Der Arme, er ist ein richtiger Unglücksrabe! Erst letztes Jahr hat es doch in seinem Geschäft gebrannt."
(mit etwas) den **Vogel** abschießen (sal.)	*den größten Erfolg mit einer Idee oder Handlung haben (meist ironisch gemeint)*	„Was hast du am Samstag gemacht?" – „Ich war in Köln. Meine Tante feierte ihren 70. Geburtstag." – „Da hat sie sicherlich viele schöne Geschenke bekommen?" – „Ja, aber den Vogel hat mein Cousin abgeschossen. Er hat sie zum Bungee-Springen eingeladen."
ein schräger / komischer **Vogel** sein (ugs.)	*ein seltsamer Mensch*	„Kennst du den Mann dort?" – „Ja, das ist Urs, mit dem war ich zusammen in der Schule." – „Er ist irgendwie etwas merkwürdig, oder?" – „Ja, er war schon immer ein komischer Vogel, aber nett ist er."
einen **Vogel** haben (sal.)	*verrückt sein; verrückte oder außergewöhnliche Ideen haben*	Anna: „Wollen wir mal eine Ballonfahrt machen?" Bernd: „Du hast wohl einen Vogel!" Anna: „Nein, das ist so toll! Du kannst von oben die ganze Stadt sehen."
in ein **Wespennest** stechen (ugs.)	*durch eine Äußerung oder Tat große Aufregung verursachen und sich viele Gegner machen*	„Mit meiner Bemerkung über das neue Auto meines Onkels habe ich wohl in ein Wespennest gestochen. Jetzt ist die ganze Familie böse auf mich."

1 Welches Substantiv passt? Kreuzen Sie an.

1. ein hohes ☐ Pferd ☐ Ross ☒ Tier sein

2. einen ☐ Hund ☐ Vogel ☐ Elefanten haben

3. in ein ☐ Wespennest ☐ Bienenhaus ☐ Vogelnest stechen

4. den ☐ Adler ☐ Vogel ☐ Wolf abschießen

5. Hier geht es zu wie in einem ☐ Reihenhaus ☐ Klassenraum ☐ Taubenschlag!

6. besser den ☐ Vogel ☐ Spatz ☐ Mann in der Hand als die Taube auf dem Dach

2 Was meint das Gleiche? Verbinden Sie.

☐1 Er ist ein seltsamer Mensch.

☐2 Er gibt ihr die Schuld an dem Unglück.

☐3 Er hat eine Aufgabe mutig begonnen.

☐4 Er hat viel Pech.

☐5 Er ist verrückt.

☐A Er hat den Stier bei den Hörnern gepackt.

☐B Er ist ein Unglücksrabe.

☐C Er ist ein schräger Vogel.

☐D Er hat einen Vogel.

☐E Er macht sie zum Sündenbock.

3 Welche Tiere sind versteckt?

1. Zu einem ungewöhnlichen Menschen sagen viele:

Das ist ein komischer _____Vogel_____.

2. Jemanden, auf den alle die Schuld schieben,

nennt man den _____.

3. Jemand, der oft Pech hat, ist ein richtiger

_____.

4. Wer sich einer schwierigen Situation mutig stellt, der

packt den _____ bei den Hörnern.

5. Verursacht jemand durch eine Äußerung große Aufregung,

sticht er in ein _____.

A	J	K	R	I	O	V	O	G	E	L	M	Z	F	S
S	U	N	G	L	Ü	C	K	S	R	A	B	E	D	T
G	U	L	Ö	N	F	G	E	T	V	X	R	T	H	I
W	E	S	P	E	N	N	E	S	T	I	U	F	G	E
F	J	K	R	L	O	M	B	D	V	H	T	D	S	R
N	D	X	H	Ö	S	Ü	N	D	E	N	B	O	C	K
W	G	F	J	N	U	Z	P	F	S	H	L	K	E	W

4 Wie sagt man es mit einer Redewendung? Ergänzen Sie in der richtigen Form.

1. Wer kein Glück hat, der _____.

2. Wer verrückt ist, der _____.

3. Wer sich durch eine Äußerung viele Feinde macht, der _____.

4. Wer den größten Erfolg hat, der _____.

5. Wer eine wichtige Position hat, der _____.

Wer bis hierher alles gelöst hat, der sollte den Stier bei den Hörnern packen und sich auch an den zusätzlichen Aufgaben versuchen!

Erinnern Sie sich an die Redewendungen aus den Kapiteln 1 bis 9? Testen Sie Ihr Wissen!

1   Was ist richtig? Kreuzen Sie an.

1. an der richtigen	☐ Adresse	☐ Hausnummer	☐ Wohnungstür	sein
2. in den	☐ Büchern	☐ Sternen	☐ Schlangen	stehen
3. jemandem den schwarzen	☐ Manfred	☐ Klaus	☐ Peter	zuschieben
4. auf dem	☐ Glück	☐ Gold	☐ Geld	sitzen
5. wie	☐ Blumen	☐ Pilze	☐ Erdbeeren	aus dem Boden schießen

2   Was bedeuten die Redewendungen aus Aufgabe 1?

1. A sich an die richtige Person gewandt haben
   B sich nicht verlaufen haben
   C den passenden Schlüssel gefunden haben

2. A aufgeschrieben sein
   B noch völlig ungewiss sein
   C lange warten müssen

3. A jemandem die Schuld an etwas geben
   B jemandem Geld leihen
   C jemanden in Schutz nehmen

4. A sehr glücklich sein
   B sehr reich sein
   C sehr geizig sein

5. A sehr lecker sein
   B verlockend, aber nicht ungefährlich sein
   C innerhalb kurzer Zeit in großer Zahl entstehen

3   Finden Sie die passenden Verben.

1. jemandem in die Quere _____

2. auf das falsche Pferd _____

3. ohne mit der Wimper zu _____

4. den Kopf in den Sand _____

5. sein wahres Gesicht _____

6. sich wie ein Aal _____

7. den Faden _____

D	H	J	S	V	R	M	I	W	C	Y	M
A	S	E	T	Z	E	N	G	W	K	L	E
B	H	L	O	A	I	Z	E	I	G	E	N
X	K	O	M	M	E	N	Y	N	W	U	N
G	T	Z	S	C	H	Ö	M	D	S	T	O
Ü	B	S	S	T	E	C	K	E	N	V	W
A	G	R	Z	U	C	K	E	N	F	T	Ü
V	E	R	L	I	E	R	E	N	T	H	L
D	G	M	O	L	T	Ö	I	S	R	D	T

4 Welches Körperteil passt? Drei bleiben übrig.

> Herz ● Knie ● Ohr ● Nase ● Finger ● Zunge ● Kopf ● Beine ● Hand ● Arm

1. „Was, du willst Schlagzeug spielen? Wer hat dir den Floh ins _____ gesetzt?"

2. „Ich habe mir die ganze Nacht den _____ zerbrochen, aber mir ist keine Lösung für das Problem eingefallen."

3. „Mir reicht es! Ich habe die _____ voll."

4. „Gute Besserung! Wir wünschen dir, dass du schnell wieder auf die _____ kommst."

5. „Ich sage nichts dazu, ich beiße mir auf die _____."

6. „Mach das nicht! Ich rate dir, die _____ davon zu lassen."

7. „Ich habe meine beiden Neffen sehr gern. Sie sind mir ans _____ gewachsen."

5 Was bedeuten die Redewendungen? Verbinden Sie.

1 alle Jubeljahre einmal	A jemanden stören
2 in die Brüche gehen	B jemanden beleidigen
3 jemanden vor den Kopf stoßen	C sehr selten
4 jemandem die Leviten lesen	D kaputtgehen
5 die Nase hoch tragen	E jemanden streng tadeln
6 jemandem in die Quere kommen	F arrogant oder eingebildet sein

6 Sagen Sie es mit einer Redewendung aus Aufgabe 5.

1. Die neue Nachbarin ist sehr arrogant.

_____

2. Der Lehrer hat ihn streng getadelt.

_____

3. Er besucht seine Eltern sehr selten.

_____

4. Hoffentlich habe ich ihn nicht beleidigt.

_____

5. Stör mich nicht!

_____

6. Warum ist ihre Beziehung kaputtgegangen?

_____

7 **Wie passen die Redewendungen, Zeichnungen (Seite 108) und Erklärungen zusammen? Tragen Sie die Ziffern und Buchstaben in die Tabelle ein.**

Redewendung	Zeichnung	Erklärung
das Gesicht verlieren		
ein alter Hase sein		
sein Geld zum Fenster hinauswerfen		
jemandem einen Bären aufbinden		
mehrere Eisen im Feuer haben		
jemanden im Regen stehen lassen		
sich den Kopf zerbrechen		
sich an etwas die Zähne ausbeißen		
den Gürtel enger schnallen		
ein Auge auf jemanden / etwas werfen		
ein Gedächtnis wie ein Sieb haben		
sich eine goldene Nase verdienen		

A bei einem Geschäft großen Gewinn machen

B trotz großer Bemühungen ein Problem oder eine Aufgabe nicht lösen können

C angestrengt und lange über etwas nachdenken

D weniger Geld ausgeben können, sparen müssen

E langjährige, große Erfahrung in etwas haben

F durch sein Verhalten Ansehen und Respekt verlieren

G mehrere Möglichkeiten haben

H Geld sinnlos ausgeben; sein Geld verschwenden

I sich für jemanden / etwas interessieren; Gefallen finden

J schnell und immer wieder Dinge vergessen

K jemandem etwas Unwahres so erzählen, dass er es glaubt

L jemandem in einer schwierigen Situation nicht helfen

8 **Sagen Sie es mit einer Redewendung.**

nicht auf den Kopf gefallen sein

etwas liegt jemandem (schwer) im Magen

jemandem ins Wort fallen

jemandem durch die Lappen gehen

jemandem (einen) Knüppel zwischen die Beine werfen

ein heißes Eisen sein

Tomaten auf den Augen haben

1. Doris: „Wie geht es denn deinem Freund, ist er schon Abteilungsleiter in seiner Firma?" – Ulla: „Nein, leider nicht. Seine Kollegen **machen ihm immer wieder Schwierigkeiten** / _____ ."

2. „Hast du deinen Führerschein schon?" – „Nein, ich habe in zwei Wochen meine theoretische Prüfung. Die **bedrückt mich** / _____ ."

3. „Stimmt es, dass Renate schwanger ist?" – „Ja, das sieht man doch. **Hast du das noch nicht bemerkt, obwohl es alle schon sehen** / _____ ?"

4. „Wie hat dir das Buch gefallen, das Andrea dir geliehen hat?" – „Es war sehr spannend. Immer wieder war der Detektiv dem Verbrecher auf der Spur, aber jedes Mal ist er **ihm entkommen** / _____ _____ ."

5. „Na, wie klappt es mit deinem Architekturstudium?" – „Ganz gut, aber ich habe ein wenig Angst wegen Mathe. Das war nie meine Stärke." – „Ach, das schaffst du schon. Du bist doch **intelligent** / _____ _____ ."

6. Minister: „Ich weiß, es ist **eine schwierige Sache** / _____ . Trotzdem schlage ich vor, dass wir allen Schulabgängern eine Lehrstelle garantieren."

7. „Es macht keinen Spaß, sich mit Nora zu unterhalten." – „Warum denn nicht?" – „Man kann nie ausreden, sie **unterbricht einen immer** / _____ ."

9 **Lesen Sie die Geschichte. Die Tiere sind hier durcheinander geraten.**

Der Student Moritz Fröhlich ist meist lustig, witzig, immer guter Laune. Seine Freunde haben ihn gern, aber weil er oft sehr chaotisch und vergesslich ist, meinen sie, dass er doch **ein Schwein hat**. Ja, ein bisschen verrückt ist er schon. Er erzählt gern die seltsamen Dinge, die ihm passieren. Manchmal übertreibt er auch ein wenig, sodass die anderen das Gefühl haben, er würde ihnen **einen Frosch aufbinden**. Einmal erzählte er seinen Freunden:

„Bevor ich zum Studium ging, meinte meine Mutter, ich sollte mir einen neuen Wecker kaufen. Ich hatte nur einen uralten Wecker, der meiner Oma gehörte. Aber ihr wisst doch, wir Studenten sind so **arm wie eine Ente**. Jedenfalls hatte mein Wecker bis dahin gut funktioniert. An jenem Abend war ich sehr müde, ich hatte den ganzen Tag viel Stress in der Uni. Ich stellte meinen Wecker auf sieben Uhr dreißig und **ging mit den Fliegen schlafen**.

Aber am nächsten Tag wachte ich erst um halb neun auf! Mein Wecker hatte nicht geklingelt. Zum ersten Mal! 9.20 Uhr begann mein Seminar, ich sollte ein Referat halten – und dafür gab es eine Note! Dazu kam, dass meine WG weit von der Uni entfernt lag. Also dort, **wo sich Mücke und Elefant gute Nacht sagen**. Außerdem war es an diesem Morgen sehr kalt. Es war Januar. So beschloss ich, mit meinem kleinen Auto in die Uni zu fahren. Ja, ein Auto habe ich auch, aber ein sehr altes. Alle sagen, es **sei eine lahme Kirchenmaus**. Und es stimmt, schnell kann man damit nicht fahren. Doch an jenem Tag dachte ich, es sei die beste Lösung. So konnte ich **zwei Hühner mit einer Klappe schlagen**: mich vor der Kälte schützen und schneller zur Uni kommen. Ich fuhr, so schnell es ging, und kam nur zehn Minuten zu spät! Aber … kein Dozent war da und meine Kommilitonen unterhielten sich laut. Unser Dozent, Herr Krause, war krank. Da dachte ich: Oh Mann, hast du jetzt **einen Vogel gehabt**!"

„Und was hast du mit dem alten Wecker gemacht?", fragte einer seiner Freunde.

„Na ja", antwortete Moritz Fröhlich, „ich **mache nicht gleich aus einem Fuchs einen Hasen**, aber das Risiko war mir doch zu groß. Ich habe mir einen neuen gekauft, aber den alten habe ich immer noch … Und irgendwann erzähle ich euch auch die Geschichte mit dem Auto."

„Komm, **sei kein Bär**!", riefen seine Freunde, „erzähl!"

Doch Moritz sagte nur: „Ein anderes Mal." Er lächelte und ging.

10 **Notieren Sie die Redewendungen in der richtigen Form.**

_____

_____

_____

_____

_____

11 Von A bis Z! Ergänzen Sie die fehlenden Substantive.

Argen ● Zelte ● Apfel ● Ziel ● Angriff ● Zunge ● Augen ● Zähne ● Affenzahn ● Zeit ● Art ● Zweig

1. im _____ liegen

2. aus den _____, aus dem Sinn

3. etwas in _____ nehmen

4. mit einem _____ fahren

5. aus der _____ schlagen

6. in den sauren _____ beißen

7. über das _____ hinausschießen

8. die _____ totschlagen

9. die _____ zusammenbeißen

10. sich auf die _____ beißen

11. auf keinen grünen _____ kommen

12. die _____ abbrechen

12 Welche Redewendung aus Aufgabe 11 passt?

1. „Letzten Winter war es sehr glatt, und ich habe mir auf dem Weg zum Supermarkt das Bein gebrochen." – „Ach je, das tut sicher sehr weh!" – „Ja, da musste ich _____ bis der Krankenwagen endlich da war."

2. „Was hast du gestern Abend gemacht?" – „Hm, nichts Besonderes. Ich war allein zu Hause und habe vor dem Fernseher _____."

3. Beate: „Hast du mal wieder etwas von Ralf gehört?" – Andreas: „Nein, er schreibt nicht und ruft auch nicht an. Du weißt doch: _____."

4. „Den Kollegen Schneider habe ich lange nicht mehr gesehen." – „Ja, der hat hier alle _____ _____ und ist mit seiner Familie vor drei Monaten nach Hamburg gezogen."

5. „Fast hätte ich meiner Mutter gestern am Telefon verraten, welche Überraschung wir für ihren nächsten Geburtstag vorbereiten. Ich konnte mir gerade noch _____."

13 **Ergänzen Sie die fehlenden Substantive. Kreuzen Sie die richtige Präposition an. Ordnen Sie den Redewendungen die passenden Zeichnungen zu.**

1. sein(e) _____ ☐ unters ☐ ins ☐ aufs Trockene bringen   Zeichnung _____

2. ☐ am ☐ vorm ☐ hinterm _____ bleiben   Zeichnung _____

3. sich den _____ ☐ durch ☐ um ☐ gegen die Ohren wehen lassen   Zeichnung _____

4. ☐ bei ☐ zu ☐ an der richtigen _____ sein   Zeichnung _____

5. ☐ ins ☐ durchs ☐ unters kalte _____ springen   Zeichnung _____

6. ☐ auf ☐ unter ☐ über seinen _____ springen   Zeichnung _____

```
1 [ ][ ][ ][ ][▓][ ][ ][ ][ ]
      2 [ ][ ][▓][ ][ ]
        3 [ ][▓][ ][ ]
      4 [ ][ ][▓][ ][ ]
              G
    5 [ ][ ][ ][▓][ ][ ]
6 [ ][ ][ ][ ][ ][▓][ ][ ]
```

Lösungswort: **Mit dieser Übung haben Sie mindestens**

  zwei _____ mit einer Klappe geschlagen.

14 Man hat einige Tiere zu Redewendungen befragt, in denen sie vorkommen. Ergänzen Sie die Antworten mit den richtigen Erklärungen.

Tierische Interviews

1. „Herr Elefant, es wird oft gesagt, dass manche Menschen *sich wie ein Elefant im Porzellanladen benehmen.* Haben Sie eine Idee, warum?"

„Stellen Sie sich vor, ich würde in einen Porzellanladen hineingehen! Ich bin so groß und schwer, ich würde alles kaputt machen. Wenn man also sagt, dass jemand sich wie ein Elefant im Porzellanladen benimmt, meint man, dass dieser Mensch _____ "

2. „Frau Eule, wir haben eine Frage an Sie: Sie kennen bestimmt die Redewendung *Eulen nach Athen tragen.* Was denken Sie, warum gerade Sie und die Stadt Athen darin vorkommen?"

„Na, das ist doch ganz klar! In Athen gibt es so viele Eulen wie an keinem anderen Ort. Deshalb wäre es _____,

wenn jemand noch mehr von uns dahin bringen würde."

3. „Liebe Frau Kuh, Sie sind sehr bekannt und beliebt, weil Sie Milch geben. Aber Sie sind auch berühmt wegen der Redewendung *dastehen wie die Kuh vorm neuen Tor.* Was sagen Sie dazu?"

„Wissen Sie ... Kühe sind sehr nützlich, aber leider nicht sehr clever und wenn sie vor einem neuen Tor stehen, wissen sie nicht, was sie machen sollen. Sie sind ganz verwirrt. Wenn also jemand wie die Kuh vorm neuen Tor steht, kann es nur heißen, dass er _____ "

4. Man hat lange gesucht, bis man eine Made finden und interviewen konnte. Hier die Frage an die dicke Made: „Oft wird gesagt, dass einige Menschen *wie die Made im Speck leben.* Können Sie uns vielleicht die Bedeutung dieser Redewendung erklären?"

„Aber natürlich! Es kann nur bedeuten, dass jemand _____

_____. Denn eine Made, die in einem schönen Stück Speck steckt, kann so viel fressen, wie sie nur kann und will."

5. Auf einem Bauernhof befragte man ein Pferd, das gerade eine Pause machte: „Wissen Sie, dass Sie sogar in einer Redewendung vorkommen? Diese lautet: *wie ein Pferd arbeiten.* Warum sagt man das, haben Sie eine Erklärung?"

„Wir Pferde von heute haben es schon ein bisschen besser, aber früher hatten die Pferde wirklich viel zu tun: Holz und Wasser tragen, Menschen hin- und hertransportieren ... Das war kein leichtes Leben. Meine Erklärung für diese Redewendung ist:

Ein Mensch, der wie ein Pferd arbeitet, _____ "

6. Noch eine Frage wurde dem Pferd gestellt:

„In einer anderen Redewendung ist sogar von zehn Pferden die Rede. Manche Leute sagen: *Keine zehn Pferde bringen mich dahin*! Haben Sie eine Ahnung, was damit gemeint ist?"

„Das ist doch ganz einfach zu verstehen. Ein Pferd ist bekanntlich sehr, sehr stark. Man kann sich vorstellen, was für eine Kraft zehn Pferde haben. Wenn jemand also meint, dass nicht einmal zehn Pferde ihn bewegen könnten, etwas Bestimmtes zu tun, dann will er sagen, dass er _____."

7. Auf einer grünen Wiese trafen die Reporter einen friedlichen Stier. „Nur eine kurze Frage, Herr Stier: Ihnen ist bestimmt schon mal die Redewendung *den Stier bei den Hörnern packen* zu Ohren gekommen. Was könnte das Ihrer Meinung nach bedeuten?"

„Wie man weiß, hat ein Stier viel Kraft und ist vor allem sehr wild und gefährlich. Es ist nicht leicht, ihm nahezukommen und ihn anzufassen ist fast unmöglich. Deshalb finde ich es richtig zu sagen, dass jemand, der _____

_____, den Stier bei den Hörnern packt."

8. Nach langer Suche fand man endlich einen Floh im Fell eines Hundes. Man stellte dem Floh folgende Frage: „Sie gelten als sehr lebhaft und beweglich und haben sogar den Sprung in Deutschbücher geschafft. Sie kommen in einer Redewendung vor: *jemandem einen Floh ins Ohr setzen*. Verstehen Sie, was man damit sagen möchte?"

„Ja, klar! Das bedeutet: _____."

9. An einer weißen Wand saß eine Fliege. Man fragte sie Folgendes:

„Obwohl Sie nur kurz leben, hört man viel von Ihnen. Was ist gemeint mit der Redewendung *keiner Fliege etwas zuleide tun*?"

„Menschen, die keiner Fliege etwas zuleide tun, sind _____

und _____", antwortete die Fliege und flog davon.

10. Tief im Wald verabschiedeten sich gerade ein Fuchs und ein Hase.

„Guten Abend", sagte der Reporter, „erlauben Sie mir eine Frage: Ich suche eine Erklärung für die Redewendung *wo sich Fuchs und Hase gute Nacht sagen*. Können Sie mir vielleicht helfen?"

„Überlegen Sie mal", meinte der Fuchs, „es war bestimmt nicht so leicht, uns zu finden." Der Hase stimmte ihm zu: „Ja, ja, der Weg war sicherlich lang und beschwerlich. Und damit haben Sie Ihre Antwort! Wenn jemand da ist, wo sich Fuchs und Hase gute Nacht sagen, dann _____

_____."

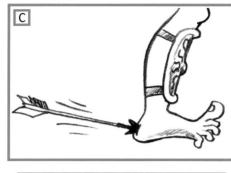

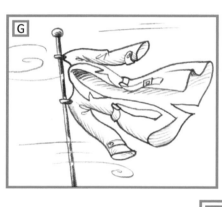

15 Ergänzen Sie eine passende Erklärung. Welche Zeichnung (Seite 116) passt dazu?

1. Wenn man sagt, dass etwas die Achillesferse von jemandem ist, dann meint man, dass es

_____ .   Zeichnung _____

2. Wenn jemand sagt: „Das Maß ist voll!", dann will er eigentlich ausdrücken:

_____ .   Zeichnung _____

3. Wenn jemand auf dem hohen Ross sitzt, dann

_____ .   Zeichnung _____

4. Wenn man sagt, jemand sei ein Spaßvogel, dann meint man, dass

_____ .   Zeichnung _____

5. Wenn ich den Ton angebe, dann

_____ .   Zeichnung _____

6. Wenn wir etwas über Bord werfen, dann

_____ .   Zeichnung _____

16 Ergänzen Sie eine passende Redewendung. Welche Zeichnung (Seite 116) passt dazu?

1. Wenn ein Mensch viel und ohne Pause spricht, dann

_____ .   Zeichnung _____

2. Wenn jemand sehr geizig ist, dann sagt man, dass er

_____ .   Zeichnung _____

3. Wenn etwas zugrunde geht, dann sagt man, dass es

_____ .   Zeichnung _____

4. Wenn man von etwas aus eigener (unangenehmer) Erfahrung berichten kann, dann

_____ .   Zeichnung _____

5. Wenn eine Person ihre Meinung oft ändert, um einen Vorteil davon zu haben, dann

_____ .   Zeichnung _____

6. Wenn Sie gesund sind und sehr viel leisten können, dann

_____ .   Zeichnung _____

Kapitel 1: Arbeiten und Lernen

Seite 7:

1 2 D, 3 A, 4 E, 5 B

2 2. Abwesenheit, 3. Auge, 4. Angriff, 5. Acht, 6. Auge, 7. Akten

3 1. die Ärmel hochkrempeln, 2. außer Acht lassen, 3. mit Ach und Krach bestanden, 4. im Auge behalten

Seite 9:

1 2. bringen, 3. ausreißen, 4. schwitzen, 5. bleiben

2 2. Fach, 3. Ball, 4. Brechen

3 2 C, 3 A, 4 E, 5 F, 6 D

4 1. bringt man es über die Bühne, 2. schwitzt man Blut und Wasser, 3. bringe ich es unter Dach und Fach, 4. schiebst du es auf die lange Bank, 5. reißt man sich kein Bein aus, 6. machen sie blau

Seite 11:

1 2. ohne Fleiß, 3. die Flinte, 4. die erste Geige, 5. die Daumen, 6. alle Fäden

2 2. spielst, 3. hält, 4. sehen

3 2 D, 3 B, 4 A

4 1. ... die Daumen. 2. Katja hat mehrere Eisen im Feuer. 3. Wirf doch nicht (so schnell) die Flinte ins Korn! 4. Die Chefin glaubt, sie hält alle Fäden in der Hand.

5 hat mehrere Eisen im Feuer, die Flinte ins Korn geworfen, ohne Fleiß kein Preis, die erste Geige spielen / alle Fäden in der Hand halten

Seite 13:

1 2. Hand, 3. Hase, 4. Hebel

2 2. schnallen, 3. setzen, 4. haben

3 1. ... linke Hände hat, 2. mit Hängen und Würgen, 3. jetzt alle Hebel in Bewegung setzen / es jetzt in die Hand nehmen, 4. die Hände in den Schoß legen

4 2 A, 3 D, 4 B

5 1. Hals- und Beinbruch! 2. Nimm es selbst in die Hand! 3. mit Hängen und Würgen

Seite 15:

1 2. C, 3. A, 4. B, 5. D, 6. B, 7. C, 8. D

2 **waagerecht:** 1. Knie, 2. Laufenden, 3. Karten, 4. Hut; **senkrecht:** 1. Kopf, 2. Latein, 3. Kuh

Seite 17:

1 2. auf, 3. beim, 4. in, 5. auf, 6. mit, 7. von

2 2. Punkt, 3. Pfunden, 4. Pferd

3 2 A, 3 F, 4 E, 5 D, 6 C

4 1. spitzt die Ohren, 2. hat etwas auf der Pfanne, 3. hat eine lange Leitung, 4. ruht sich auf seinen Lorbeeren aus, 5. hat viel um die Ohren

Seite 19:

1 2 E, 3 D, 4 A, 5 B

2 2. Stein, 3. Rechnung, 4. Rahmen, 5. Sattel, 6. Sande

3 2. B, 3. C, 4. A, 5. A, 6. C, 7. B, 8. D

4 a) in, b) aufs, c) ohne, d) bei

Seite 21:

1 2. leiten, 3. springen, 4. legen, 5. stellen

2 2. Meister, 3. Zeug, 4. Wege

3 2. Übung, 3. Zelte, 4. Weichen, 5. Wasser

4 1. macht viel Wind um sie, 2. legt sich ins Zeug, 3. bricht die Zelte ab, 4. bleibt auf dem Teppich

Kapitel 2: Freizeit

Seite 23:

1 2. hüten, 3. schlagen, 4. Blumentopf, 5. gepellt

2 2 A, 3 D, 4 F, 5 C, 6 B

3 2. auf, 3. auf, 4. aus

4 1. schlägt zwei Fliegen mit einer Klappe, 2. hütet das Bett, 3. kann damit keinen Blumentopf gewinnen, 4. kommt mit einem blauen Auge davon, 5. macht es auf den letzten Drücker, 6. ist (viel) auf Achse

Seite 25:

1 2. Glas, 3. Kind, 4. Haut, 5. Handtuch

2 2. hing, 3. war, 4. stand, 5. ist

3 war kein Kind von Traurigkeit, Hahn im Korb, zu tief ins Glas geguckt / geschaut, fühlte sich wie gerädert, alle Jubeljahre, stand auf der Kippe, das Handtuch werfen

Seite 27:

1 2. Lust, 3. Nagel, 4. Schale, 5. Rolle

2 2 C, 3 F, 4 B, 5 A, 6 D

3 1. um, 2. Rolle, 3. Leib, 4. Schale, 5. Lust, 6. Nagel, 7. Ohr; **Lösungswort:** Meister

Seite 29:

1 2 D, 3 F, 4 B, 5 A, 6 E

2 1. Ziel, 2. Wunder, 3. Schlange, 4. Sense, 5. Zeit, 6. Stuhl

3 2 D, 3 E, 4 C, 5 F, 6 A

4 1. Trübsal zu blasen, 2. über das Ziel hinausschießen, 3. vom Stuhl gerissen, 4. klappte wie am Schnürchen

Kapitel 3: Familie

Seite 31:

1 2. sauren, 3. gebrochen, 4. schiefe

2 2 E, 3 D, 4 A, 5 B

3 2. Art, 3. Apfel, 4. Bahn, 5. Tisch, 6. Stamm

4 1. Ihre Beziehung / Ehe ist in die Brüche gegangen. 2. Er ist auf die schiefe Bahn geraten. 3. Sie kann wieder Bäume ausreißen. 4. Er schlägt aus der Art. 5. Der Apfel fällt nicht weit vom Stamm.

Seite 33:

1 2. keinen Finger – krumm – machen, 3. ein langes – Gesicht – machen, 4. sich wegen etwas – keine grauen Haare – wachsen lassen, 5. jemandem einen Floh – ins Ohr – setzen, 6. jemandem wie aus dem Gesicht – geschnitten – sein

2 2. ins, 3. auf, 4. aus

3 1. ... gäbe, 2. machen wir ein langes Gesicht, 3. reißt uns der Geduldsfaden, 4. trete ich in seine Fußstapfen, 5. gehen wir für ihn durchs Feuer

4 waagerecht: 1. Granit, 2. Finger, 3. Haare; **senkrecht:** 1. Floh, 2. gang, 3. Gesicht

Seite 35:

1 2. anhaben, 3. schlafen, 4. Karten, 5. Kopf

2 2 D, 3 E, 4 A, 5 C

3 1. … Katz, 2. hat die Hosen an, 3. kommt unter die Haube, 4. fasst sich ein Herz

4 unter die Haube kommen, legen die Karten auf den Tisch, Hals über Kopf, gehen sie mit den Hühnern schlafen, die Hosen anhaben

Seite 37:

1 2 E, 3 B, 4 C, 5 F, 6 A

2 2. Nest, 3. Ohren, 4. Pantoffel, 5. Loch, 6. Spiel

3 1. … Leviten, 2. setzt sich ins gemachte Nest, 3. fragt ihnen ein Loch / Löcher in den Bauch, 4. legt sie an die Leine, 5. macht gute Miene zum bösen Spiel, 6. steht unterm Pantoffel

4 1. kann ein Lied davon singen, 2. auf diesem Ohr ist er taub, 3. haben mir die Ohren lang gezogen, 4. gute Miene zum bösen Spiel machen

Seite 39:

1 2. aufziehen, 3. wissen, 4. schlagen, 5. abschneiden

2 2. Trab, 3. Sack, 4. Rücken, 5. Schuh

3 2. B, 3. A, 4. C, 5. A, 6. D, 7. B, 8. D

4 1. mit Sack und Pack, 2. Von ihm kannst du dir eine Scheibe abschneiden, 3. den Wind um die Nase / um die Ohren wehen lassen, 4. in den Wind geschlagen hast

Kapitel 4: Persönlichkeit und Charakter

Seite 41:

1 2. unverschämt lügen, 3. seine Schwachstelle, 4. man findet sich überall zurecht, 5. nichts tun

2 2. Beine, 3. Blatt, 4. Boden

3 2 D, 3 A, 4 E, 5 B

4 1. verspricht er das Blaue vom Himmel, 2. stellt er etwas auf die Beine, 3. nimmt er kein Blatt vor den Mund, 4. steht er mit beiden Beinen (fest) im Leben, 5. ist er am Boden zerstört, 6. belegt er sie mit Beschlag

Seite 43:

1 2. lassen, 3. Zähnen, 4. Haut, 5. sein

2 2 D, 3 E, 4 B, 5 A

3 2. A, 3. B, 4. C, 5. B, 6. A, 7. C, 8. D

4 1. spielt mit dem Feuer, 2. ist dumm wie Bohnenstroh, 3. hat Haare auf den Zähnen, 4. lässt kein gutes Haar an ihm, 5. ist weder Fisch noch Fleisch

Seite 45:

1 2. keine Skrupel haben, 3. sehr intelligent sein, 4. eine Gefahr nicht erkennen wollen, 5. etwas mit Gewalt durchsetzen wollen

2 1. … dem rechten Fleck. 2. Unsere Tochter war schon

als kleines Kind nicht auf den Kopf gefallen. / Sie hatte schon als kleines Kind etwas auf dem Kasten. 3. Da ist Hopfen und Malz verloren. 4. Tante Inge lässt sich nicht in die Karten sehen / schauen.

3 hatten das Herz auf dem rechten Fleck, hatten etwas auf dem Kasten, nicht auf den Kopf gefallen war, wollte er mit dem Kopf durch die Wand, ließ sich nicht in die Karten sehen, in Kauf zu nehmen

Seite 47:

1 2 B, 3 A, 4 F, 5 C, 6 E

2 a) auf, b) unter, c) auf, d) nach, e) in

3 1. … nach dem Wind, 2. hat ein loses / freches Mundwerk, 3. lebt auf / hinter dem Mond, 4. stellt sein Licht unter den Scheffel, 5. haut auf den Putz / nimmt den Mund voll

4 1. Mundwerk, 2. Putz, 3. Nase, 4. Mond; **Lösungswort:** Mund

Seite 49:

1 2. Wimper, 3. Senf, 4. Tag

2 2. gefressen, 3. gewachsen, 4. inneren, 5. gewaschen

3 2 E, 3 D, 4 F, 5 C, 6 A

4 1. Uwe sitzt auf dem hohen Ross. 2. Peter ist mit allen Wassern gewaschen. 3. Kollege Maier ist ein Spaßvogel. 4. Sandra glaubt, dass sie die Weisheit mit Löffeln gefressen hat. 5. Leon redet, wie ihm der Schnabel gewachsen ist. 6. Die Schülerin nimmt etwas auf die leichte Schulter.

Kapitel 5: Alltag

Seite 51:

1 2. sich in – Acht – nehmen, 3. wieder auf – die Beine – kommen, 4. jemandes Augen – sind größer – als der Magen, 5. die Beine – in die Hand – nehmen, 6. etwas aus dem – Ärmel – schütteln

2 2. aus, 3. in, 4. über, 5. in

3 2 C, 3 D, 4 B, 5 A

4 1. liegt (noch) im Argen, 2. unter vier Augen, 3. ist er wieder auf die Beine gekommen, 4. aus dem Ärmel schütteln kann, 5. Däumchen dreht

Seite 53:

1 2. Decke, 3. Dorn, 4. Fuß, 5. Faust

2 2. etwas Überflüssiges tun, 3. das ist dasselbe, 4. von etwas sehr begeistert sein, 5. sich zurechtfinden

3 2. Feuer, 3. Decke, 4. Finger, 5. Dorn

4 1. auf eigene Faust gemacht, 2. ein Dorn im Auge, 3. ein Eigentor geschossen, 4. Feuer und Flamme

Seite 55:

1 waagerecht: 1. Griff, 2. Häuschen, 3. Haken; **senkrecht:** 1. Gras, 2. Haar, 3. Herz

2 dieses Problem schnell in den Griff bekommen konnte, um ein Haar, spuckte Gift und Galle, seien an den Haaren herbeigezogen, Gras über das unangenehme Ereignis wachsen lassen

Seite 57:

1 2. Magen, 3. Leib, 4. kurz, 5. Nase, 6. Licht

2 2 F, 3 A, 4 B, 5 D, 6 E

3 1. … mitgehen lassen. 2. Sie ist der Polizei durch die Lappen gegangen. 3. Aus Wut hat er die Möbel kurz und klein geschlagen. 4. Sie hat von dem Kurs die Nase voll. 5. Vor Gericht hat er leider den Kürzeren gezogen. 6. Er hat seine Kunden immer wieder aufs Kreuz gelegt.

4 1. ging mir plötzlich ein Licht auf, 2. mitgehen lassen, 3. aufs Kreuz legt, 4. Das liegt ihm (schwer) im Magen

Seite 59:

1 2. wie Pilze – aus dem Boden – schießen, 3. jemandem etwas – vor der Nase – wegschnappen, 4. den richtigen Riecher – für etwas – haben, 5. aus der Not – eine Tugend – machen, 6. jemandem – aus der Patsche – helfen

2 2. Pferde; 3. Ohren; 4. Riecher; 5. Not, Tugend; 6. Quelle

3 2 F, 3 A, 4 B, 5 C, 6 E

4 1. Er hat mir aus der Patsche geholfen. 2. In der Hauptstadt sind die Tankstellen wie Pilze aus dem Boden geschossen. 3. Mit dem Umzug sind wir vom Regen in die Traufe gekommen. 4. Halt die Ohren steif!

Seite 61:

1 2 F, 3 A, 4 E, 5 D, 6 B

2 1. Schrei, 2. Sitzfleisch, 3. sauer, 4. Schilde, 5. Sand; **Lösungswort:** Stein

3 2. ins Schwarze getroffen, 3. der letzte Schrei, 4. ist mir ein Stein vom Herzen gefallen

4 1. bringt er den Stein ins Rollen, 2. hat er es wie Sand am Meer, 3. sieht er schwarz, 4. kommt er ihm auf die Schliche, 5. ist er sauer

Seite 63:

1 2. Wein, 3. Tomaten, 4. Stühle, 5. Küche

2 2. in, 3. mit, 4. aus, 5. durch, 6. zwischen

3 2. A, 3. D, 4. A, 5. B, 6. D, 7. B, 8. C

4 *Möglichkeit:* 1. Mit deinen Lügen kommst du in große Schwierigkeiten. 2. Beim Anblick des Nachtischs bekam Frank großen Appetit darauf. 3. Nach langem Überlegen hat sie ihrem Freund die Wahrheit gesagt. 4. Sei tapfer! / Ertrage es! 5. Ich habe erfahren, dass der Chef zum Jahresende geht. 6. Gerd durchkreuzte die Pläne seiner Nachbarn.

Kapitel 6: Geld

Seite 65:

1 2. Ei, 3. Bach, 4. Finger

2 2. leben, 3. bringen, 4. werfen

3 2 E, 3 B, 4 A, 5 D

4 1. Kirchenmaus, 2. Finger, 3. Bach, 4. Decke, 5. Fuß

Seite 67:

1 2 D, 3 B, 4 E, 5 A

2 2. Mist; 3. Karte, Genick

3 a) von, b) auf, c) auf, d) in, e) auf

4 1. zieht es an Land, 2. sitzt auf dem Geld(beutel), 3. riskiert Kopf und Kragen, 4. lebt von der Hand in den Mund

Seite 69:

1 2. führen, 3. pfeifen, 4. gehen, 5. verdienen, 6. schneiden

2 2. den Rahmen sprengen, 3. in Saus und Braus leben, 4. hinters Licht führen / übers Ohr hauen

3 2 C, 3 A, 4 E, 5 F, 6 D

4 1. Er ist ein gemachter Mann. 2. Er ist jemandem auf den Leim gegangen. 3. Er hat jemanden übers Ohr gehauen. 4. Er ist nicht von Pappe. 5. Er pfeift auf dem letzten Loch. 6. Er hat sich eine goldene Nase verdient.

Seite 71:

1 2. grünen Zweig, 3. Tisch, 4. Schneider, 5. Zahnfleisch, 6. Ofen

2 2. auf, 3. in, 4. auf, 5. bis, 6. über; in

3 2 D, 3 A, 4 C

4 tief in die Tasche greifen, über den Tisch gezogen, ein Schuss in den Ofen, saß er auf dem Trockenen, ein Tropfen auf den heißen Stein, aus dem Schneider sein, die Zeche prellen, komme auf keinen grünen Zweig

Kapitel 7: Von Mensch zu Mensch

Seite 73:

1 2. Auge, 3. Sinn

2 2. jemanden aus – den Augen – verlieren, 3. jemandem schöne – Augen – machen, 4. jemandem – Beine – machen, 5. jemandem ein – Bein – stellen, 6. etwas oder jemanden wie – seinen Augapfel – hüten

3 2. Man vergisst jemanden schnell. 3. Man ist wohlwollend. 4. Man streitet sich um Unwichtiges.

4 1. B, 2. C, 3. A, 4. D, 5. A, 6. B, 7. D, 8. C

Seite 75:

1 2. großen, 3. dick und dünn, 4. rohes, 5. kleinen

2 2 A, 3 B, 4 E, 5 C

3 2. Draht, 3. Ei, 4. Füßen, 5. Fettnäpfchen, 6. Finger

4 1. steht man da wie bestellt und nicht abgeholt, 2. hält man ihn zum Besten, 3. macht man einen großen Bogen um ihn, 4. liegt man ihm zu Füßen, 5. behandelt man ihn wie ein rohes Ei, 6. hat man einen guten Draht zu ihm

Seite 77:

1 2. Haare, 3. Hand, 4. Hand, 5. Feuer

2 2. viel – von jemandem – halten, 3. jemanden auf – Händen – tragen, 4. jemandem völlig – freie Hand – lassen, 5. jemanden – ins Herz – schließen, 6. sich – in die Haare – geraten

3 2. sich gegenseitig helfen, 3. sich streiten,
4. jemandem voll vertrauen

4 1. lässt ihm (völlig) freie Hand, 2. trägt er auf Händen,
3. ins Herz schließen, 4. herumzureiten

Seite 79:

1 2. Bein, 3. Seele, 4. Kopf, 5. Beine, 6. Knie

2 2. aus, 3. zwischen, 4. am, 5. vor, 6. ans

3 sind ein Herz und eine Seele, schlug in dieselbe Kerbe,
hob sie in den Himmel, die Kastanien aus dem Feuer
zu holen, den Kopf verdreht, ihr ans Herz gewachsen

Seite 81:

1 2 A / C, 3 D, 4 A / C, 5 B

2 2. an, 3. auf, 4. auf, 5. an

3 1. … ihn wie Luft, 2. gibt man ihm einen Korb, 3. gibt
man ihm den Laufpass, 4. setzt man ihm das Messer
an die Kehle, 5. steht man mit ihm auf Kriegsfuß,
6. tritt man ihm zu nahe

4 (1) Korb, (2) nahe, (3) krumm, (4) wie, (5) Mond; **Ohren**

Seite 83:

1 2. stellen, 3. kommen, 4. stecken, 5. zusammenhalten

2 2 E, 3 A, 4 F, 5 B, 6 D

3 1. … in die Quere gekommen. 2. Sein Verhalten bringt
den Lehrer auf die Palme. 3. Beim Schachspiel steckt
er seine Frau in den Sack. 4. Fall deinen Freunden
nicht in den Rücken! 5. Pia hat sie im Regen stehen
lassen. 6. Warum schiebst du ihm den schwarzen
Peter zu?

4 1. halten … zusammen, 2. anzufassen, 3. gebracht,
4. riechen, 5. stellte, 6. stecken

Seite 85:

1 2. Wolle, 3. Steine, 4. Wäsche

2 2. D, 3. A, 4. B, 5. A, 6. C, 7. B, 8. D

3 1. … auf den Schlips getreten, 2. gibt sie den Ton an,
3. Ich werde mit ihr nicht warm, 4. euch immer in die
Wolle kriegen, 5. Ich traue ihm nicht über den Weg

4 *Möglichkeit:* 1. Verlass mich nicht! / Hilf mir! 2. Nun
gibt Julian (zu Unrecht) seinem Bruder die Schuld
(daran). 3. Er hat Marions Bitte nicht beachtet. 4. Er
hat den Eindruck, dass ihm jemand Schwierigkeiten
machen will.

Kapitel 8: Kommunikation

Seite 87:

1 2 D, 3 E, 4 A, 5 C

2 2. sich über etwas ärgern, 3. zur Unterhaltung
beitragen, 4. etwas nicht verstehen, 5. sich über
jemanden lustig machen, 6. jemandem sagen, wie
unerfreulich etwas ist

3 2 E, 3 A, 4 C, 5 D

4 1. bindet ihm einen Bären auf, 2. nimmt an etwas
Anstoß, 3. sagt etwas durch die Blume, 4. nimmt ihn
auf den Arm, 5. schmiert ihm etwas aufs Butterbrot,
6. versteht nur Bahnhof

Seite 89:

1 2. um, 3. für, 4. auf, 5. in

2 2. etwas in – den falschen Hals – bekommen,
3. jemanden für – dumm – verkaufen, 4. jedes Wort
auf – die Goldwaage – legen, 5. etwas auf – dem
Herzen – haben, 6. jemandem – sein Herz –
ausschütten

3 2. nicht mehr wissen, was man sagen wollte;
3. eine Äußerung wortwörtlich nehmen; 4. jemandem
schmeicheln

4 1. fiel bei mir der Groschen, 2. hat er es in den falschen
Hals bekommen, 3. etwas auf dem Herzen hat, 4. ist
ein heißes Eisen

Seite 91:

1 2 A, 3 F, 4 C, 5 B, 6 E

2 2. war, 3. gezogen, 4. gegriffen, 5. lügen, 6. geworfen

3 1. Luft, 2. lügen, 3. madig, 4. Leber, 5. Mund;
Lösungswort: Lügen

Seite 93:

1 2. gießen, 3. streuen, 4. nehmen, 5. sitzen

2 2. Punkt, 3. Ohren, 4. Kopf, 5. Ohr

3 waren ganz Ohr, sitzt du auf den Ohren, mich auf die
Schippe nehmen, binde ich ihr nicht auf die Nase,
Rede und Antwort stehen, setzte er sich in die Nesseln

Seite 95:

1 2. Zaunpfahl, 3. Socken, 4. Zunge, 5. Wasserfall

2 2 D, 3 A, 4 E, 5 B

3 1. … ein Wasserfall. 2. Die Nachricht wirbelte viel
Staub auf. 3. Sie hielt ihre Zunge im Zaum. 4. Du
nimmst mir das Wort aus dem Mund. 5. Fall mir nicht
ins Wort!

4 1. Da bin ich von den Socken! 2. sollte man sich nie
im Ton vergreifen. 3. Man muss ihm jedes Wort einzeln
aus der Nase ziehen. 4. einem ständig ins Wort fallen.
5. einen Wink mit dem Zaunpfahl.

Kapitel 9: Tierisches

Seite 97:

1 2. gute Nacht sagen, 3. ein Aal, 4. Frosch,
5. Porzellanladen

2 2. Fisch; 3. Fuchs, Hase; 4. Fliege; 5. Fliege

3 1. Elefant, 2. Aal, 3. Fliege, 4. Fisch, 5. Hahn, 6. Ente

Seite 99:

1 2. die Ursache eines Problems, 3. in schlechten
Verhältnissen leben müssen, 4. Davon weiß ich nichts.

2 2. B, 3. A, 4. B, 5. A, 6. C

3 1. weiß, wie der Hase läuft. 2 noch ein Hühnchen zu
rupfen. 3. wie Hund und Katze sein? 4. keinen Hund
hinter dem Ofen hervorlocken kann. 5. schlich wie die
Katze um den heißen Brei herum. 6. ist er auf den
Hund gekommen.

Seite 101:

1 2 E, 3 A, 4 F, 5 B, 6 D

2 a) auf, b) aus, c) über, d) auf, e) im, f) im

3 setze auf das falsche Pferd, arbeite wie ein Pferd, Das geht auf keine Kuhhaut, haben eine Meise, Da beißt die Maus keinen Faden ab, aus einer Mücke einen Elefanten machen, bin ich ein Pechvogel

Seite 103:

1 2. werfen, 3. machen, 4. schimpfen, 5. bringen

2 2. Schaf, 3. Pferde, 4. Pudel, 5. Schneckentempo, 6. Spatzen

3 2 C, 3 D, 4 A

4 *Möglichkeit:* 1. In jeder Familie ist jemand das schwarze Schaf / gibt es ein schwarzes Schaf. 2. Jahrelang hat sie eine Schlange am Busen genährt. 3. Nach dem Streit mit seiner Verlobten stand er da wie ein begossener Pudel. 4. Mit Lucia kannst du Pferde stehlen.

Seite 105:

1 2. Vogel, 3. Wespennest, 4. Vogel, 5. Taubenschlag, 6. Spatz

2 2 E, 3 A, 4 B, 5 D

3 2. Sündenbock, 3. Unglücksrabe, 4. Stier, 5. Wespennest

4 1. ist ein Unglücksrabe, 2. hat einen Vogel, 3. sticht in ein Wespennest, 4. schießt den Vogel ab, 5. ist ein hohes Tier

Zusätzliche Aufgaben:

Seite 106:

1 1. Adresse, 2. Sternen, 3. Peter, 4. Geld, 5. Pilze

2 1. A, 2. B, 3. A, 4. C, 5. C

3 1. kommen, 2. setzen, 3. zucken, 4. stecken, 5. zeigen, 6. winden, 7. verlieren

Seite 107:

4 1. Ohr, 2. Kopf, 3. Nase, 4. Beine, 5. Zunge, 6. Finger, 7. Herz

5 1 C, 2 D, 3 B, 4 E, 5 F, 6 A

6 1. Die neue Nachbarin trägt die Nase hoch. 2. Der Lehrer hat ihm die Leviten gelesen. 3. Er besucht seine Eltern alle Jubeljahre einmal. 4. Hoffentlich habe ich ihn nicht vor den Kopf gestoßen. 5. Komm mir nicht in die Quere! 6. Warum ist ihre Beziehung in die Brüche gegangen?

Seite 108 / 109:

7 das Gesicht verlieren – 5 F,
ein alter Hase sein – 12 E,
sein Geld zum Fenster hinauswerfen – 8 H,
jemandem einen Bären aufbinden – 11 K,
mehrere Eisen im Feuer haben – 1 G,
jemanden im Regen stehen lassen – 10 L,
sich den Kopf zerbrechen – 6 C,
sich an etwas die Zähne ausbeißen – 3 B,
den Gürtel enger schnallen – 2 D,

ein Auge auf jemanden / etwas werfen – 9 I,
ein Gedächtnis wie ein Sieb haben – 4 J,
sich eine goldene Nase verdienen – 7 A

Seite 110:

8 *Möglichkeit:* 1. werfen ihm immer wieder (einen) Knüppel zwischen die Beine, 2. liegt mir (schwer) im Magen, 3. Du hast wohl Tomaten auf den Augen / Hast du Tomaten auf den Augen, 4. ihm durch die Lappen gegangen, 5. nicht auf den Kopf gefallen, 6. ein heißes Eisen, 7. fällt einem immer ins Wort

Seite 111:

10 einen Vogel hat, einen Bären aufbinden, arm wie eine Kirchenmaus, ging mit den Hühnern schlafen, wo sich Fuchs und Hase gute Nacht sagen, sei eine lahme Ente, zwei Fliegen mit einer Klappe schlagen, Schwein gehabt, mache nicht gleich aus einer Mücke einen Elefanten, sei kein Frosch

Seite 112:

11 1. Argen, 2. Augen, 3. Angriff, 4. Affenzahn, 5. Art, 6. Apfel, 7. Ziel, 8. Zeit, 9. Zähne, 10. Zunge, 11. Zweig, 12. Zelte

12 1. die Zähne zusammenbeißen; 2. die Zeit totgeschlagen; 3. Aus den Augen, aus dem Sinn; 4. Zelte abgebrochen; 5. auf die Zunge beißen

Seite 113:

13 1. Schäfchen – ins – E, 2. am – Ball – D, 3. Wind – um – A, 4. an – Adresse – C, 5. ins – Wasser – F, 6. über – Schatten – B; **Lösungswort:** Fliegen

Seite 114 / 115:

14 *Möglichkeit:* 1. sich (in einer Situation) sehr ungeschickt verhält; 2. sinnlos / überflüssig; 3. (angesichts einer neuen Situation) völlig ratlos ist; 4. im Reichtum und Überfluss lebt; 5. arbeitet sehr viel und hart; 6. das auf keinen Fall macht; 7. eine schwierige Aufgabe oder Situation mutig in Angriff nimmt; 8. in jemandem unerfüllbare Wünsche weckt; 9. gutmütig … können niemandem Schaden zufügen; 10. ist er an einem sehr einsamen, abgelegenen Ort

Seite 116 / 117:

15 *Möglichkeit:* 1. seine Schwachstelle / verwundbare Stelle ist – C, 2. Es ist genug / Es reicht jetzt / Meine Geduld ist nun zu Ende – K, 3. ist er eingebildet / hält er sich für etwas Besseres – F, 4. er ein witziger oder lustiger Mensch ist – A, 5. habe ich eine führende Position (innerhalb einer Gruppe) – I, 6. geben wir es ganz auf – E

16 *Möglichkeit:* 1. redet er wie ein Wasserfall – H, 2. auf dem Geld(beutel) sitzt – B, 3. den Bach runtergeht – J, 4. kann man davon ein Lied singen – D, 5. dreht / hängt sie ihren Mantel (ihr Mäntelchen) nach dem Wind – G, 6. können Sie Bäume ausreißen – L

Die Zahlen verweisen auf die Seite, auf der die jeweilige Redewendung erklärt wird.

aus der **Haut** fahren 42

seine **Haut** so teuer wie möglich verkaufen 24

nicht aus seiner **Haut** (heraus)können 42

alle **Hebel** in Bewegung setzen 12

auf etwas **herumreiten** 76

das **Herz** auf dem rechten Fleck haben 44

jemandem sein **Herz** ausschütten 88

jemanden ins **Herz** schließen 76

etwas nicht übers **Herz** bringen 54

sich ein **Herz** fassen 34

jemandem ans **Herz** gewachsen sein 78

jemanden / etwas auf **Herz** und Nieren prüfen 34

ein **Herz** und eine Seele sein 78

etwas auf dem **Herzen** haben 88

jemanden in den **Himmel** heben 78

auf allen **Hochzeiten** tanzen 44

jemandem **Honig** um den Mund / ums Maul
   schmieren 88

bei jemandem ist **Hopfen** und Malz verloren 44

die **Hosen** anhaben 34

das **Huhn**, das goldene Eier legt, schlachten 98

mit jemandem (noch) ein **Hühnchen** zu rupfen haben 98

Da lachen (ja) die **Hühner**! 98

mit den **Hühnern** schlafen gehen 34

in **Hülle** und Fülle 66

mit etwas keinen **Hund** hinter dem Ofen hervorlocken
   können 98

wie **Hund** und Katze sein 98

auf den **Hund** kommen 98

alle(s) unter einen **Hut** bringen 14

J

alle **Jubeljahre** (einmal) 24

K

jemanden / etwas durch den **Kakao** ziehen 90

unter aller **Kanone** sein 24

etwas auf die hohe **Kante** legen 66

etwas auf seine / die eigene **Kappe** nehmen 34

alles auf eine **Karte** setzen 66

die **Karten** auf den Tisch legen 34

sich nicht in die **Karten** sehen / schauen lassen 44

schlechte **Karten** haben 14

für jemanden die **Kastanien** aus dem Feuer holen 78

etwas auf dem **Kasten** haben 44

für die **Katz** sein 34

wie die **Katze** um den heißen Brei herumschleichen 98

die **Katze** im Sack kaufen 100

etwas in **Kauf** nehmen 44

in dieselbe **Kerbe** hauen / schlagen 78

kein **Kind** von Traurigkeit sein 24

noch in den **Kinderschuhen** stecken 14

auf der **Kippe** stehen 24

die **Kirche** im Dorf lassen 90

arm wie eine **Kirchenmaus** sein 64

Kleinvieh macht auch Mist. 66

jemandem ein **Klotz** am Bein sein 78

etwas übers **Knie** brechen 14

jemanden auf / in die **Knie** zwingen 78

jemandem (einen) **Knüppel** zwischen die Beine
   werfen 78

die **Kohle** heranschaffen 66

jemandem auf dem **Kopf** herumtanzen 34

sich den **Kopf** zerbrechen 14

den **Kopf** in den Sand stecken 44

jemanden vor den **Kopf** stoßen 78

jemandem etwas an den **Kopf** werfen 90

mit dem **Kopf** durch die Wand wollen 44

nicht auf den **Kopf** gefallen sein 44

Kopf und Kragen riskieren 66

jemandem den **Kopf** verdrehen 78

jemandem einen **Korb** geben 80

jemandem an den **Kragen** wollen 80

jemanden aufs **Kreuz** legen 56

mit jemandem auf **Kriegsfuß** stehen 80

jemandem etwas **krummnehmen** 80

dastehen wie die **Kuh** vorm neuen Tor 14

Das geht auf keine **Kuhhaut**! 100

kurz angebunden sein 90

alles / etwas **kurz** und klein schlagen 56

den **Kürzeren** ziehen 56

L

etwas an **Land** ziehen 66

jemandem durch die **Lappen** gehen 56

mit seinem **Latein** am Ende sein 14

auf dem **Laufenden** sein 14

jemandem den **Laufpass** geben 80

Jemandem ist eine **Laus** über die Leber gelaufen. 100

frei von der **Leber** weg reden 90

mit **Leib** und Seele 26

jemandem auf den **Leib** rücken 56

über **Leichen** gehen 44

jemandem auf den **Leim** gehen 68

jemanden an die **Leine** legen 36

eine lange **Leitung** haben 16

jemandem die **Leviten** lesen 36

jemandem geht ein **Licht** auf 56

sein **Licht** unter den Scheffel stellen 46

jemanden hinters **Licht** führen 68

von etwas ein **Lied** singen können 36

jemandem ein **Loch** / **Löcher** in den Bauch fragen 36
auf / aus dem letzten **Loch** pfeifen 68
sich auf seinen **Lorbeeren** ausruhen 16
etwas aus der **Luft** greifen 90
jemand geht in die **Luft** 46
in der **Luft** hängen 16
jemanden wie **Luft** behandeln 80
Es herrscht dicke **Luft**. 90
jemand **lügt** wie gedruckt 90
nach **Lust** und Laune 26

M
wie die **Made** im Speck leben 100
jemanden / etwas **madig** machen 90
etwas liegt jemandem (schwer) im **Magen** 56
ein gemachter **Mann** sein 68
seinen **Mantel** (sein Mäntelchen) nach dem Wind
    drehen / hängen 46
Das **Maß** ist voll! 56
Da beißt die **Maus** keinen Faden ab! 100
eine **Meise** haben 100
Es ist noch kein **Meister** vom Himmel gefallen. 26
Übung macht den **Meister**. 20
jemandem das **Messer** an die Kehle setzen 80
gute **Miene** zum bösen Spiel machen 36
etwas **mitgehen** lassen 56
Ab durch die **Mitte**! 30
jemanden auf den **Mond** schießen können 80
auf / hinter dem **Mond** leben 46
aus einer **Mücke** einen Elefanten machen 100
jemandem nach dem **Mund** reden 90
den **Mund** voll nehmen 46
ein freches / loses **Mundwerk** haben 46

N
sich die **Nacht** / **Nächte** um die Ohren schlagen 26
den **Nagel** auf den Kopf treffen 92
etwas an den **Nagel** hängen 26
jemandem zu **nahe** treten 80
jemandem etwas auf die **Nase** binden 92
seine **Nase** in etwas stecken 46
die **Nase** hoch tragen 46
die **Nase** von etwas voll haben 56
jemandem etwas vor der **Nase** wegschnappen 58
sich eine goldene **Nase** verdienen 68
sich in die **Nesseln** setzen 92
das eigene **Nest** beschmutzen 36
sich ins gemachte **Nest** setzen 36
aus der **Not** eine Tugend machen 58

O
sich aufs **Ohr** hauen 26
jemanden übers **Ohr** hauen 68
auf diesem **Ohr** taub sein 36
ganz **Ohr** sein 92
auf den **Ohren** sitzen 92
bis über beide **Ohren** verliebt sein 80
viel um die **Ohren** haben 16
Halt die **Ohren** steif! 58
jemandem die **Ohren** lang ziehen 36
die **Ohren** spitzen 16
Öl ins Feuer gießen 92

P
jemanden auf die **Palme** bringen 82
unterm **Pantoffel** stehen 36
nicht von **Pappe** sein 68
jemandem aus der **Patsche** helfen 58
auf die **Pauke** hauen 26
wie **Pech** und Schwefel zusammenhalten 82
ein **Pechvogel** sein 100
Perlen vor die Säue werfen 102
jemandem den schwarzen **Peter** zuschieben 82
etwas auf der **Pfanne** haben 16
das **Pferd** beim Schwanz aufzäumen 16
wie ein **Pferd** arbeiten 100
auf das falsche **Pferd** setzen 100
Keine zehn **Pferde** bringen mich dahin! 58
mit jemandem **Pferde** stehlen können 102
mit seinen **Pfunden** wuchern 16
von der **Pike** auf 16
wie **Pilze** aus dem Boden schießen 58
wie ein begossener **Pudel** dastehen 102
jemandes wunder **Punkt** 92
der tote **Punkt** 16
auf den **Putz** hauen 46

Q
an der **Quelle** sitzen 58
jemandem in die **Quere** kommen 82

R
das fünfte **Rad** am Wagen sein 58
aus dem **Rahmen** fallen 18
den **Rahmen** sprengen 68
die **Rechnung** ohne den Wirt machen 18
jemandem **Rede** und Antwort stehen 92
jemanden im **Regen** stehen lassen 82
vom **Regen** in die Traufe kommen 58

das **Rennen** machen 26
jemanden nicht **riechen** können 82
den richtigen **Riecher** für etwas haben 58
sich etwas nicht aus den **Rippen** schneiden können 68
wie ein **Rohrspatz** schimpfen 102
keine (große) **Rolle** spielen 26
auf dem hohen **Ross** sitzen 48
jemandem den **Rücken** frei halten / stärken 38
jemandem in den **Rücken** fallen 82

S

jemanden in den **Sack** stecken 82
mit **Sack** und Pack 38
andere **Saiten** aufziehen 38
jemandem **Salz** in / auf die Wunde streuen 92
jemanden mit **Samthandschuhen** anfassen 82
wie **Sand** am Meer 60
im **Sande** verlaufen 18
fest im **Sattel** sitzen 18
Perlen vor die **Säue** werfen 102
sauer sein / werden 60
in **Saus** und Braus leben 68
das schwarze **Schaf** sein 102
sein(e) **Schäfchen** ins Trockene bringen 102
sich in **Schale** werfen 26
jemanden in den **Schatten** stellen 82
über seinen **Schatten** springen 18
sich von jemandem eine **Scheibe** abschneiden (können) 38
etwas im **Schilde** führen 60
jemanden auf die **Schippe** nehmen 92
eine **Schlange** am Busen nähren 102
Schlange stehen 28
eine **Schlappe** einstecken 28
jemandem auf die **Schliche** kommen 60
sich auf den **Schlips** getreten fühlen 84
reden, wie einem der **Schnabel** gewachsen ist 48
jemanden zur **Schnecke** machen 102
im **Schneckentempo** 102
aus dem **Schneider** sein 70
wie am **Schnürchen** klappen 28
der letzte **Schrei** 60
wissen, wo jemanden der **Schuh** drückt 38
jemandem etwas in die **Schuhe** schieben 84
die **Schulbank** drücken 18
etwas auf die leichte **Schulter** nehmen 48
jemandem die kalte **Schulter** zeigen 84
ein **Schuss** in den Ofen sein 70
ins **Schwarze** treffen 60
schwarzsehen 60

Schwein haben 18
den inneren **Schweinehund** überwinden 48
ein zweischneidiges **Schwert** sein 18
seinen **Senf** dazugeben 48
Jetzt ist (aber) **Sense**! 28
kein **Sitzfleisch** haben 60
von den **Socken** sein 94
ein **Spaßvogel** sein 48
besser den **Spatz** in der Hand als die Taube auf dem Dach 104
Das pfeifen die **Spatzen** von den Dächern. 102
etwas aufs **Spiel** setzen 18
viel **Staub** aufwirbeln 94
aus dem **Stegreif** 28
den **Stein** ins Rollen bringen 60
jemandem fällt ein **Stein** vom Herzen 60
bei jemandem einen **Stein** im Brett haben 18
jemandem **Steine** in den Weg legen 84
in den **Sternen** stehen 18
jemanden im **Stich** lassen 84
den **Stier** bei den Hörnern packen 104
über die **Stränge** schlagen / hauen 38
jemandem einen **Strich** durch die Rechnung machen 62
jemanden (nicht) vom **Stuhl** reißen 28
sich zwischen zwei **Stühle** setzen 62
jemanden zum **Sündenbock** machen 104

T

in den **Tag** hinein leben 48
tief in die **Tasche** greifen müssen 70
Hier geht es zu wie in einem **Taubenschlag**! 104
auf dem **Teppich** bleiben 20
in **Teufels** Küche kommen 62
ein hohes **Tier** sein 104
reinen **Tisch** machen 38
jemanden über den **Tisch** ziehen 70
Tomaten auf den Augen haben 62
sich im **Ton** vergreifen 94
den **Ton** angeben 84
jemanden auf / in **Trab** halten 38
auf dem **Trockenen** sitzen 70
ein **Tropfen** auf den heißen Stein 70
Trübsal blasen 28
mit der **Tür** ins Haus fallen 62

U

Übung macht den Meister. 20
ein **Unglücksrabe** sein 104

V

(mit etwas) den **Vogel** abschießen 104
ein schräger / komischer **Vogel** sein 104
einen **Vogel** haben 104

W

mit jemandem nicht **warm** werden 84
schmutzige **Wäsche** waschen 84
ins kalte **Wasser** springen 20
jemandem läuft das **Wasser** im Mund zusammen 62
jemandem steht das **Wasser** bis zum Hals 70
wie ein **Wasserfall** reden 94
mit allen **Wassern** gewaschen sein 48
jemandem nicht über den **Weg** trauen 84
etwas in die **Wege** leiten 20
die **Weichen** für etwas stellen 20
jemandem reinen **Wein** einschenken 62
glauben, dass man die **Weisheit** mit Löffeln gefressen
　　hat 48
in ein **Wespennest** stechen 104
ohne mit der **Wimper** zu zucken 48
viel **Wind** um etwas machen 20
jemandem den **Wind** aus den Segeln nehmen 62
etwas in den **Wind** schlagen 38
von etwas **Wind** bekommen 62
sich den **Wind** um die Nase / um die Ohren wehen
　　lassen 38
ein **Wink** mit dem Zaunpfahl 94
sich mit jemandem in die **Wolle** kriegen 84
jedes **Wort** auf die Goldwaage legen 88
jemandem das **Wort** aus dem Mund nehmen 94
jemandem ins **Wort** fallen 94
jemandem jedes **Wort** einzeln aus der Nase ziehen
　　müssen 94
ein blaues **Wunder** erleben 28

Z

sich an etwas die **Zähne** ausbeißen 20
die **Zähne** zusammenbeißen 62
auf dem **Zahnfleisch** gehen / kriechen 70
die **Zeche** prellen 70
Kommt **Zeit**, kommt Rat. 20
die **Zeit** totschlagen 28
die **Zelte** abbrechen 20
das **Zeug** zu etwas haben 20
sich ins **Zeug** legen 20
über das **Ziel** hinausschießen 28
seine **Zunge** im Zaum halten 94
sich auf die **Zunge** beißen 94
auf keinen grünen **Zweig** kommen 70

Eigene Notizen